LES VASES
COMMUNICANTS

DU MÊME AUTEUR

MONT DE PIÉTÉ (Au Sans-Pareil, 1919). *Épuisé.*

LES CHAMPS MAGNÉTIQUES, en collaboration avec Philippe Soupault (Au Sans-Pareil, 1921). *Épuisé.*

CLAIR DE TERRE, avec un portrait par Picasso (collection Littérature, 1923). *Épuisé.*

LES PAS PERDUS (N. R. F., 1924). *Épuisé.*

MANIFESTE DU SURRÉALISME (Kra, 1924). *Épuisé.*

LÉGITIME DÉFENSE (Éditions Surréalistes, 1926). *Épuisé.*

INTRODUCTION AU DISCOURS SUR LE PEU DE RÉALITÉ (N. R. F., 1927). *Épuisé.*

LE SURRÉALISME ET LA PEINTURE, avec soixante-dix-sept reproductions photographiques (N. R. F., 1928). *Épuisé.*

NADJA (N. R. F., 1928).

MANIFESTE DU SURRÉALISME, nouvelle édition augmentée d'une préface et de la Lettre aux Voyantes. Frontispice de Max Ernst (Kra, 1929).

RALENTIR TRAVAUX, en collaboration avec René Char et Paul Éluard (Éditions Surréalistes, 1930).

SECOND MANIFESTE DU SURRÉALISME (Kra, 1930).

L'IMMACULÉE CONCEPTION, en collaboration avec Paul Éluard (Éditions Surréalistes, 1930).

MISÈRE DE LA POÉSIE (Éditions Surréalistes, 1932).

LE REVOLVER A CHEVEUX BLANCS (Éditions des Cahiers libres, 1932).

ANDRÉ BRETON

LES VASES
COMMUNICANTS

GALLIMARD
5, rue Sébastien-Bottin, Paris VII⁰

3⁰ *édition*

Il a été tiré de cet ouvrage trois cent cinquante exemplaires sur vélin labeur des Papeteries Navarre de Voiron, reliés d'après la maquette de Mario Prassinos, savoir : trois cents exemplaires numérotés de 1 à 300 et cinquante, hors commerce, numérotés de 301 à 350.

I

« ... Et retroussant légèrement sa robe
de la main gauche, Gradiva Rediviva
Zoé Bertgang, enveloppée des regards
rêveurs de Hanold, de sa démarche
souple et tranquille, en plein soleil sur
les dalles, passa de l'autre côté de la
rue. »

Wilhelm JENSEN : *Gradiva.*

Le marquis d'Hervey-Saint-Denys, traducteur de poésies chinoises de l'époque des Thang et auteur d'un ouvrage anonyme paru en 1867 sous le titre : *Les Rêves et les Moyens de les diriger.* — *Observations pratiques*, ouvrage devenu assez rare pour que ni Freud ni Havelock Ellis — qui le spécifient tous deux — n'ait réussi à en prendre connaissance, semble avoir été le premier homme à penser qu'il n'était pas impossible, sans pour cela recourir à la magie dont les moyens n'arrivaient plus de son temps à se traduire que par quelques recettes impraticables, de vaincre à son profit les résistances de la plus aimable des femmes et d'obtenir rapidement qu'elle lui accordât ses dernières faveurs. Cet idéaliste, dont la vie à travers tout ce qu'il conte nous paraît assez inutile, s'était fait sans doute par compensation une image plus vive de ce qui pouvait l'attendre les yeux fermés que la plupart des esprits

scientifiques qui se sont livrés à des observations sur le même thème. Beaucoup plus
heureux que le héros de l'*A Rebours* de
Huysmans, Hervey, trop privilégié, je suppose, du point de vue social, pour tenter
d'ailleurs véritablement de rien fuir, parvient, sans détraquement appréciable, à se
procurer, hors du monde réel, une suite de
satisfactions sans mélange qui sur le plan
sensoriel ne le cèdent en rien aux enivrements de des Esseintes et n'entraînent, par
contre, ni lassitude ni remords. C'est ainsi
que la succion d'une simple racine d'iris
qu'il a pris soin d'associer durant la veille
à un certain nombre de représentations
agréables tirant leur origine de la fable de
Pygmalion lui vaut dans son sommeil,
cette racine une fois glissée entre ses lèvres
par une main complice, une aventure ten-
tante. Sans m'émerveiller à proprement
parler de ce résultat, je l'inscrirais volontiers en bonne place parmi les conquêtes
poétiques du dernier siècle, non loin de
celles qui illustrèrent, sous la responsabilité de Rimbaud, l'application du principe
de la nécessité pour le poète de provoquer
le parfait, le raisonné « dérèglement » de
ses propres sens. L'apport de l'auteur de
l'ouvrage qui nous occupe serait cependant
tout au plus susceptible de fournir un
complément à la méthode susdite d'expres-

sion et par suite de connaissance si je ne me laissais aller à y voir une possibilité de conciliation extrême entre les deux termes qui tendent à opposer, au bénéfice d'une philosophie confusionnelle, le monde de la réalité à celui du rêve, je veux dire à isoler ces deux mondes l'un de l'autre et à faire une question purement subjective de la subordination de l'un à l'autre, l'affectivité restant juge; s'il ne me paraissait possible d'opérer par cet intermédiaire la conversion de plus en plus nécessaire (si l'on tient compte du malentendu s'aggravant à travers les œuvres lyriques de notre époque) de l'imaginé au vécu ou plus exactement au devoir-vivre; si je ne m'avisais qu'il y a là une porte entr'ouverte, au delà de laquelle il n'y a plus qu'un pas à faire pour, au sortir de la maison vacillante des poètes, se retrouver de plain-pied dans la vie.

Il serait assurément du plus grand prix de savoir *a priori* par quel procédé discipliner les forces constitutives du rêve, de manière que l'élément affectif qui préside à sa formation ne se trouve pas détourné de l'objet auquel s'est attaché un charme particulier durant la veille. Qui s'est jamais trouvé dans le cas d'aimer n'a pu se défendre de déplorer la conspiration de silence et de nuit qui se fait en

rêve autour de l'être cher, cependant que
l'esprit du dormeur trouve à s'occuper
tout entier à des travaux insignifiants.
Comment retenir de la vie éveillée ce qui
mérite d'en être retenu, ne serait-ce que
pour ne pas démériter de ce qu'il y a de
meilleur dans cette vie même ? Bien avant
qu'eût cours la théorie de moins en moins
controversée selon laquelle le rêve serait
toujours la réalisation d'un désir, il est
remarquable qu'un homme se soit trouvé
pour tenter de réaliser pratiquement ses
désirs dans le rêve.

C'est en obtenant d'un chef d'orchestre
alors à la mode qu'il dirigeât exclusivement, d'une manière systématique, l'exécution de deux valses déterminées, chaque
fois qu'il devait danser avec deux dames
qui lui tenaient à cœur, chacune de ces
valses étant en quelque sorte dédiée et rigoureusement réservée à l'une d'entre elles,
puis en ménageant avant de s'endormir
pour une heure matinale la reproduction
en sourdine d'un de ces mêmes airs, au
moyen d'un ingénieux appareil composé
d'une boîte à musique et d'un réveille-
matin, qu'Hervey réussit à faire apparaître
dans ses songes l'une ou l'autre des deux
dames et à lui confier le principal rôle
dans la pièce qu'à ce moment ses moindres
héros intérieurs lui jouaient.

On peut regretter qu'une expérience à première vue de caractère aussi décisif n'ait pas été entreprise dans des conditions qui permettent d'éliminer toute chance d'illusion ou d'erreur. La rigueur n'étant malheureusement pas une des qualités dominantes de l'auteur, esprit élégant mais fort vain, une objection capitale se présente aussitôt : ni l'une ni l'autre — elles étaient deux ! — des danseuses du marquis ne s'étant, dans la vie réelle, révélée capable de s'imposer à son choix, il n'y allait peut-être encore pour lui, en rêve, que d'un jeu. La passion, en tout ce qu'elle comporte à la fois d'éblouissant et d'atterrant, n'était forcément pas intéressée. Le choc émotif, pour s'être voulu, ou toléré, à double écho, avait été de ceux dont on se relève, dont on s'accommode, cela s'imagine trop, que diable ! Rien de concluant de ce côté. D'autre part, la volonté consciente d'influencer dans un certain sens le cours du rêve rendait possible cette influence sans le secours de la boîte à musique ou, tout au moins, sans celui d'un air de bal plutôt que d'un autre. En dernière analyse, et surtout considérant que l'un des deux airs se montra seul propice à l'évocation d'une des figures féminines dessinées d'avance, prenant acte d'autre part de ce qu'il appartenait à l'observateur, avant de s'endormir, de faire choix de tel des deux airs qui lui convenait, on peut être fondé à penser que l'une des deux personnes en cause était déjà par lui, qu'il le sût ou non, résolument sacrifiée à l'autre et que toute phrase musicale, agissant ici à la manière de la racine d'iris suscitant Galatée, eût eu pour effet de faire entrer en scène dans le rêve celle des deux dames qui intéressait véritablement le rêveur sans pour cela, puisque, je le répète, elles étaient deux, se montrer expressément attendue ou désirée.

Rien de plus choquant, je tiens à le déclarer sans autre ambage, rien de plus choquant pour l'esprit que de voir à quelles vicissitudes a été condamné l'examen du problème du rêve, de l'antiquité à nos jours. De piètres « clés des songes » persistent à circuler, indésirables comme des jetons, à la devanture des librairies vaguement populaires. C'est sans espoir qu'on cherche à découvrir, dans les œuvres des philosophes les moins tarés des temps modernes, quelque chose qui ressemble à une appréciation critique, morale, de l'activité psychique telle qu'elle s'exerce sans la directive de la raison. On en est quitte pour... la peur de se contenter de penser, avec Kant, que le rêve a « sans doute » pour fonction de nous découvrir nos dispositions

secrètes et de nous révéler, non point ce
que nous sommes, mais ce que nous se-
rions devenus, si nous avions reçu une
autre éducation (?) — avec Hegel, que le
rêve ne présente aucune cohérence intelligible, etc. A pareil sujet, il faut avouer
que les écrivains sociaux, marxistes en tête,
si l'on en juge par ce qu'on peut actuellement connaître d'eux en France, se sont
montrés encore moins explicites. Les litté-
rateurs, intéressés du reste au non-éclair-
cissement de la question, qui leur permet,
bon an mal an, d'exploiter un filon de
récits sur lequel ils font valoir assez abusi-
vement leur propriété (la faculté de fabulation étant à tout le monde) se sont, en
général, bornés à exalter les ressources du
rêve aux dépens de celles de l'action, ceci
à l'avantage des puissances de conservation sociale qui y découvrent à juste titre
un précieux dérivatif aux idées de révolte.
Les psychologues professionnels, à qui se
trouvait échoir en dernier ressort la responsabilité du parti à prendre en face du problème du rêve, n'ont plus eu dans ces
conditions qu'à avancer vers la nouvelle
côte, avec des gestes de scarabée, la boule
d'opinions assez peu pertinentes qu'ils
roulent devant eux depuis le fond des âges.
Il peut ne pas paraître exagéré de dire, en
présence des louvoyages et des piétine-

ments auxquels nous a accoutumés la *dernière* des sciences que ces messieurs professent, que l' « énigme du rêve », privée comme à l'ordinaire par ces spécialistes de toute signification vitale, menaçait de tourner au plus crétinisant mystère religieux.

Si j'avais à rechercher les causes de l'indifférence prolongée des esprits qu'on se fût attendu à trouver compétents pour cette part, la plus égarante, de l'activité humaine, commune à tous les hommes et vraisemblablement non dénuée de conséquences sur le plan de l'existence pratique — l'oubli partiel dans lequel les rêves sont tenus et l'inattention volontaire qu'on leur prête ne parvenant pas à me les faire tenir pour inoffensifs — j'en appellerais d'abord sans nul doute au fait universellement reconnu que les puissances organisatrices de l'esprit n'aiment guère compter avec les puissances apparemment désorganisatrices. Il ne serait pas extraordinaire que les hommes qui ont disposé au degré le plus haut de celles-là se soient instinctivement dérobés à l'évaluation exacte de celles-ci. La dignité d'un homme est mise à assez rude épreuve par la teneur de ses rêves pour qu'il n'éprouve pas souvent le besoin d'y réfléchir, à plus forte raison de les conter, ce qui serait dans bien des cas peu compatible avec la gravité que nécessite, pour peu qu'il veuille enseigner, le compte rendu de ses travaux. N'en déplorons pas moins que le caractère souvent bouffon de l'aventure nocturne le contraigne à nous subtiliser ce visage mouvant, toujours si expressif, de lui-même.

En l'absence volontaire de tout contrôle exercé par les savants dignes de ce nom sur les origines et les fins de l'activité onirique, les réductions et les amplifications outrancières de cette activité pouvaient librement suivre leur cours. Jusqu'en 1900, date de la publication de *La Science des Rêves*, de Freud, les thèses les moins convaincantes et les plus contradictoires se succèdent, tendant à la faire passer du côté du négligeable, de l'inconnaissable ou du surnaturel. Les témoignages « impartiaux » font suite aux témoignages « impartiaux ». Pas un auteur ne se prononce avec netteté sur cette question fondamentale : *que deviennent dans le rêve le temps, l'espace, le principe de causalité?* Si l'on songe à l'extrême importance de la discussion qui n'a cessé d'opposer en philosophie les partisans de la doctrine selon laquelle ces trois termes correspondraient à une réalité objective et les partisans de cette autre doctrine selon laquelle ils ne serviraient à désigner que de pures formes de la contemplation humaine, on s'inquiète de voir que

pas un jalon, historiquement, n'a été posé
à cet égard. Il y aurait là pourtant, peut-
être plus qu'ailleurs, matière à départager
les irréconciliables adversaires. Pour ag-
graver encore notre famine, les quelques
observateurs du rêve qui paraissent s'être
le mieux placés, ceux dont le témoignage
offre le plus de garanties, les médecins en
particulier, ont évité, ou négligé, de nous
faire savoir de quel côté — on peut dire,
considérant sur leur position matérialistes
et idéalistes — de quel côté de la barricade
ils se situaient. Comme cela se produit
dans le domaine des sciences naturelles,
où une sorte de matérialisme tout intuitif,
embryonnaire, de caractère purement pro-
fessionnel, s'accorde tant bien que mal
chez certains avec la croyance en Dieu et
l'espoir d'une vie future, les dits observateurs n'étaient sans doute pas très fixés !
Force nous est donc, tout d'abord, de ré-
parer pour eux, dans une certaine mesure,
cette lacune. Il conviendrait à tout prix
d'en finir avec cette fausse modestie scientifique, sans perdre de vue que la pseudo-
impartialité de ces messieurs, leur paresse
à généraliser et à déduire, à faire passer
sur le plan humain toujours en mouvement ce qui reste autrement secret de
laboratoire ou de bibliothèque, n'est que
masque social porté par prudence et doit

être soulevé sans ménagements par ceux qui ont estimé une fois pour toutes qu'après tant d'interprétations du monde il était temps de passer à sa transformation.

Les principaux théoriciens du rêve, du seul fait qu'ils ne distinguent pas ou qu'ils distinguent l'activité psychique de la veille de celle du sommeil et que, dans le second cas, ils tiennent l'activité onirique pour une dégradation de l'activité de veille ou pour une libération précieuse de cette activité, nous renseignent déjà plus qu'ils ne veulent sur leur façon profonde de penser et de sentir. Dans la première école viennent naturellement se ranger les adeptes plus ou moins conscients du matérialisme primaire, dans la seconde (sommeil partiel du cerveau) les divers esprits d'inclination positiviste, dans la troisième, en dehors des mystiques purs, les idéalistes. Tous les courants de la pensée humaine se trouvent ici, bien entendu, représentés. De l'idée populaire que « les rêves viennent de l'estomac » ou que « le sommeil continue n'importe quelle idée » à la conception de l' « imagination créatrice » et de l'épuration de l'esprit par le rêve, il est aisé de découvrir les intermédiaires habituels : agnostiques, éclectiques. Toutefois, la complexité du problème et l'insuffisance philosophique de quelques-uns des chercheurs apparemment les mieux doués sous le rapport de la capacité d'observation font que bien souvent les conclusions les plus inconséquentes ne nous ont pas été épargnées. Pour les besoins de la cause à prétention matérialiste, selon laquelle l'esprit en rêve fonctionnerait normalement sur des conditions anormales, certains auteurs sont amenés paradoxalement à donner pour première caractéristique du rêve l'absence de temps et d'espace (Haffner), ce qui ravale ceux-ci au rang de simples représentations dans la veille. Les partisans de la théorie selon laquelle le rêve ne serait à proprement parler que veille partielle et ne vaudrait qu'en tant que fait purement organique en arrivent assez vainement à y réintroduire le psychique sous une forme larvaire (Delage). Enfin, l'argumentation des zélateurs du rêve en tant qu'activité supérieure, particulière, succombe sans cesse devant la considération des absurdités criantes que recèle au moins son contenu manifeste, si ce n'est encore davantage devant le parti exorbitant que le rêve peut tirer d'excitations sensorielles minimes. Freud lui-même, qui semble, en matière d'interprétation symbolique du rêve, n'avoir fait que reprendre à son compte les idées de Volkelt, auteur sur qui la bibliographie établie à la fin de son livre reste assez significativement muette, Freud, pour qui toute la substance du rêve est pourtant prise dans la vie réelle, ne résiste pas à la tentation de déclarer que « la nature intime de l'inconscient [essentielle réalité du psychique] nous est aussi inconnue que la réalité du monde extérieur », donnant ainsi des gages à ceux-là même que sa méthode avait le mieux failli mettre en déroute. C'est à croire que personne, ici, n'ose prendre sur soi de réagir contre l'indifférence, le laisser-aller général et l'on peut, dans ces conditions, se demander si le malaise accusé de toutes parts n'est pas révélateur du fait qu'on vient de toucher un point particulièrement sensible et qu'on redoute par-dessus tout de se compromettre. Peut-être y va-t-il de plus que nous ne pensions, qui sait, de la grande clé qui doit permettre de réconcilier la *matière* avec les règles de la logique formelle, qui se sont montrées jusqu'ici incapables à elles seules de la déterminer, à la grande satisfaction des réactionnaires de tout acabit. « En dehors même, écrit Freud, des écrivains religieux et mystiques qui ont grandement raison de garder, *aussi longtemps que les explications des sciences naturelles ne les en chassent pas*, les restes du domaine, jadis si

étendu, du surnaturel — on rencontre des
hommes sagaces et hostiles à toute pensée
aventureuse qui s'efforcent d'étayer leur
foi à l'existence et à l'action de forces spi-
rituelles surhumaines précisément sur le caractère inexplicable des visions des rêves. »
Il faut bien reconnaître que le fidéisme
trouve, en effet, moyen de s'introduire ici
de tous les côtés. Non seulement la question habilement soulevée de la responsabilité dans le rêve a réussi à grouper sans
distinction sous cette bannière tous ceux
qui voulaient bien admettre à un titre
quelconque une telle responsabilité, mais
encore tous ceux qui tenaient cette activité insuffisamment surveillée de l'esprit
pour indigne ou pour nuisible. Le premier
de ces cas est celui de Schopenhauer, de
Fischer; le second, celui de Spitta, de
Maury. Ce dernier observateur et expéri-
mentateur, un des plus fins qui se soient
présentés au cours du XIXe siècle, reste
une des victimes les plus typiques de cette
pusillanimité et de ce manque d'envergure
que Lénine a dénoncés chez les meilleurs
naturalistes en général et chez Haeckel, en
particulier. Pourquoi faut-il qu'après s'être
livré, dès les premières pages de son livre :
Le Sommeil et les Rêves (1862), à une attaque
en règle contre l'emploi inconsidéré par
Jouffroy du mot âme, principe auquel,

dit-il, ce dernier a tort de recourir puisqu'il n'en peut définir nettement le caractère, Maury nous inflige, page 320, la perspective des conditions qui peuvent nous être attribuées « par Dieu dans la vie future »; pourquoi, page 339, faut-il que ce soit « le Créateur » qui communique leurs impulsions aux insectes? C'est véritablement désolant. Plus désolant encore est que Freud, après avoir expérimentalement retrouvé et fait expressément valoir dans le rêve le principe de conciliation des contraires et témoigné que le profond fondement inconscient de la croyance à une vie après la mort ne résultait que de l'importance des imaginations et des pensées inconscientes sur la vie pré-natale, plus désolant encore est que le moniste Freud se soit laissé aller finalement à cette déclaration au moins ambiguë, à savoir que la « réalité psychique » est une forme d'existence particulière *qu'il ne faut pas confondre* avec la « réalité matérielle ». Était-ce bien la peine d'avoir combattu plus haut la « confiance médiocre des psychiatres dans la solidité de l'enchaînement causal entre le corps et l'esprit »? Freud se trompe encore très certainement en concluant à la non-existence du rêve prophétique — je veux parler du rêve engageant l'avenir immédiat — tenir exclusi-

vement le rêve pour révélateur du passé
étant nier la valeur du mouvement. Il est
à remarquer qu'Havelock Ellis, dans sa
critique de la théorie du rêve-réalisation de
désir chez Freud ne fait, en lui opposant
une théorie du rêve-peur, que souligner
chez Freud et chez lui le manque à peu
près complet de conception dialectique.
Cette conception semble avoir été moins
étrangère à Hildebrandt, auteur d'un ouvrage paru en 1875 et non traduit en
français, dont il est fait au cours de *La
Science des Rêves* d'assez abondantes cita-
tions. « On peut dire que, quoi que présente le rêve, il prend ses éléments dans la
réalité et dans la vie de l'esprit qui se dé-
veloppe à partir de cette réalité... Si singulière que soit son œuvre, il ne peut cependant jamais échapper au monde réel
et ses créations les plus sublimes comme
les plus grotesques doivent toujours tirer
leurs éléments de ce que le monde sensible offre à nos yeux ou de ce qui s'est
trouvé d'une quelconque manière dans la
pensée de la veille. » Malheureusement,
l'auteur qui estime, d'autre part, que plus
la vie est pure, plus le rêve est pur, parle
de culpabilité dans le rêve, à la façon des
anciens inquisiteurs, et se pose traîtreu-
sement en spiritualiste. Comme on le voit,
ici plus que partout ailleurs, selon la pa-

role de Lénine « il est significatif au plus haut point que les représentants de la bourgeoisie instruite, pareils au noyé qui se cramponne à un fétu, recourent aux moyens les plus raffinés pour trouver ou garder une place modeste au fidéisme engendré au sein des couches inférieures des masses populaires par l'ignorance, l'hébétement et l'absurde sauvagerie des contradictions capitalistes ».

On ne peut s'étonner, en présence de l'attitude générale observée par les écrivains ci-dessus désignés, attitude qui va du fanatisme religieux à la volonté d'indépendance à l'égard des partis (cette prétendue indépendance ne servant qu'à dissimuler les pires servitudes), de l'orientation arbitraire de la plupart des recherches entreprises sur le rêve. C'est à peine si la très grave question de la place quantitativement réelle occupée par celui-ci dans le sommeil a retenu l'attention de nos dignes universitaires. Si Hervey, ni docteur en médecine, ni docteur en philosophie, n'hésite pas à affirmer qu'il n'est pas de sommeil sans rêve, que « la pensée ne s'éteint jamais d'une manière absolue », le doute radical que la psychologie n'a cessé de faire peser sur la fidélité de la mémoire a paru sur ce sujet, aux autres observateurs, justifier une réserve presque

absolue. Encore bien beau s'ils prennent
la peine de s'expliquer à ce sujet. Freud,
sur ce point, est des moins catégoriques.
Une réplique modérée à Hervey a pu cependant venir de Maury qui, par la relation de son célèbre rêve de la guillotine, a
cru mettre en évidence le caractère illusoire du souvenir de rêve, a prétendu prou-
ver que toute la construction en cause
s'échafaude dans les quelques secondes que
dure le réveil, l'esprit se hâtant d'interpréter d'une manière rétrospective la cause
extérieure qui a mis fin au sommeil. Fou-
cault a soutenu d'autre part que les
connexions logiques que l'esprit croit retrouver dans le rêve sont ajoutées après
coup par la conscience éveillée. Une théorie, dont il semble bien qu'en fin de compte
elle se confonde avec la théorie pragmatique de l'émotion, tend ici à limiter autant que possible le rêve jusqu'à l'identifier
à une sorte de vertige mental de transition
et extrêmement court. Pour sa part, Havelock Ellis apporte à cette théorie une
adhésion mitigée. Il est fâcheux que sur ce
point les arguments fournis de part et
d'autre ne soient encore pas de nature à
entraîner notre conviction. C'est à croire
que l'extraordinaire puissance connue sous
le nom de suggestion (et d'auto-sugges-
tion) persistera longtemps encore à mys-

tifier tous ceux qui viennent chasser sur ses terres. On n'a que trop entendu reparler de ses méfaits depuis un siècle. Dans le domaine médical — avant Freud — Charcot, Bernheim, tant d'autres, pourraient nous en entretenir savamment! (N'est-il pas surprenant de constater que Freud et ses disciples persistent à soigner et, ajoutent-ils, à guérir des hémiplégies hystériques alors qu'il est surabondamment prouvé, depuis 1906, que ces hémiplégies *n'existent pas* ou plutôt que c'est la seule main, trop impérative, de Charcot qui les a fait naître?) Je m'en voudrais de ne pas faire observer sans plus tarder que c'est très vicieusement qu'Hervey, du fait que, sous l'influence de l'habitude, il arrive à se rappeler un nombre de rêves de plus en plus grand, conclut à la continuité parfaite de l'activité psychique durant le sommeil et aux seules éclipses, par suite, de la mémoire : encore faudrait-il établir qu'il n'a pas réussi à accroître, dans des proportions considérables, en les soumettant à l'épreuve de son observation constante, les limites de cette activité. Ce très particulier surmenage intellectuel eût pu, à la rigueur, le placer dans des conditions d'intoxication qui lui resteraient propres et priveraient ses conclusions de l'objectivité nécessaire. Hervey se voit rêver à tout moment où il s'observe rêver, c'est-à-dire à tout moment où il s'est *attendu à rêver*. C'est beaucoup, en apparence : au fond ce n'est rien. L'affirmation contradictoire de Maury n'est pas plus sûre. C'est, en effet, après bien des années que ce dernier nous rapporte comment une nuit la chute sur son cou de la flèche de son lit « suffit à entraîner » une série de représentations empruntées à l'histoire révolutionnaire, au terme desquelles on le guillotinait. Rien ne saurait justifier, selon moi, cet appel à la mémoire « infidèle » et l'acceptation aveugle de son témoignage, au bout d'un si long temps. Il y a là une contradiction fort gênante. Je n'ignore pas, d'une part, que Maury tenait Robespierre, Marat, pour les plus vilaines figures d'une époque terrible (c'est donc un *suspect* qui ne fait que se rêver suspect) ; le fait matériel qui met fin au rêve ne suffit pas, d'autre part, à écarter l'hypothèse d'un petit nombre de phénomènes avertisseurs qui se seraient produits, durant le sommeil ou durant la veille, avant la chute de la flèche. Le rêveur, enfin, qui, tout en se vantant de n'appartenir à aucune secte philosophique, parle de sa dignité de créature de Dieu, a — ne l'oublions pas — toutes sortes de mauvaises raisons de conclure à la rapidité foudroyante de la pensée dans le rêve, cette rapidité, selon lui, contribuant pendant le sommeil à effacer en nous la notion du temps, lui servant, par suite, à faire passer le temps réel sur le plan purement spéculatif. Rien, comme on peut voir, de moins désintéressé que cette dernière contribution à l'étude du rêve, rien qui ne puisse faire qu'en dépit du succès qui l'a accueilli je ne me croie pas autorisé à la tenir pour nulle et non avenue.

Ne m'étant pas, jusqu'ici, vraiment spécialisé dans l'étude de la question et estimant que je n'ai pas été mis en possession de documents suffisamment irréfutables pour en trancher, j'adopterai pour ma part, mais seulement à titre d'hypothèse — autrement dit jusqu'à preuve du contraire ou de la possibilité de le concilier dialectiquement avec ce contraire — le jugement selon lequel l'activité psychique s'exercerait dans le sommeil d'une façon continue. J'estime, en effet, *primo*, qu'une détermination arbitraire de cette espèce peut seule contribuer à faire, un jour, rentrer le rêve dans son véritable cadre qui ne saurait être que la vie de l'homme et, *secundo*, que cette manière de penser est plus conforme que toute autre à ce que nous pouvons savoir du fonctionnement général de l'esprit. Je ne vois ni avantage théorique ni avantage pratique à supposer quotidiennement l'interruption et la reprise de courant que nécessiterait, entre temps, l'admission d'un repos complet et de son seuil à franchir, on ne sait comment, dans les deux sens. Un inconvénient grave me paraîtrait en résulter touchant à ce très singulier exil de l'homme, rejeté chaque nuit hors de sa conscience, disloqué en matière et conscience et invité de la sorte à spiritualiser dangereusement cette dernière.

Que l'on accorde au rêve cette importance ou une importance moindre dans la durée (et, dans le premier cas, il s'agirait encore une fois, compte tenu des instants de crépuscule psychique dans la veille, d'au moins la moitié de l'existence humaine) on ne saurait se désintéresser de la manière dont l'esprit réagit en rêve, ne fût-ce que pour en déduire une conscience plus complète et plus nette de sa liberté. La nécessité du rêve a beau ne pas être connue, il est clair qu'elle existe. Aussi sur cette question brûlante pouvons-nous nous attendre à voir adopter par les spécialistes un point de vue socialement très significatif. Si, comme j'ai eu l'occasion de le noter plus haut, les témoignages à charge abondent contre le rêve « inutile, absurde, égoïste, impur, immoral », ceux qu'on est tenté d'invoquer pour sa défense se révèlent à peine moins accablants. Ce ne sont qu'improvisations à bas prix de gens exaltés et d'optimistes à tous crins bien décidés à ne voir dans le rêve que le libre et joyeux divertissement de notre « imagination déchaînée ». Nulle compréhension plus élevée de part ni d'autre, rien qui repose sur l'acceptation du rêve comme nécessité naturelle, rien qui tende à lui assigner son utilité véritable, rien moins que jamais qui, de la « chose en soi » sur laquelle on se plaît à faire tomber le second rideau du rêve, parvienne, non seulement *malgré* le rêve mais *par* le rêve, à faire une « chose pour nous ».

La nécessité du rêve serait déjà hors de question du fait que nous rêvons. Il n'en est pas moins vrai que cette nécessité a surtout pris corps du jour où l'homme a pu saisir les rapports étroits qui existent entre le rêve et les diverses activités délirantes telles qu'elles se manifestent dans les asiles. « Le rêve dû à une fatigue périodique fournit les premiers linéaments de l'aliénation mentale. » (Havelock Ellis.) Une fois de plus il a fallu que, par l'intermédiaire du malade, l'objet du délire agît sur les organes des sens de l'observateur, avec le grossissement qui apparemment lui est propre, pour que sa totale igno-

rance se muât en un imperceptible savoir.
Comment n'avoir pas été plus tôt frappé
de l'analogie que présentent la fuite des
idées dans le rêve et dans la manie aiguë,
l'utilisation des moindres excitations extérieures dans le rêve et dans le délire d'interprétation, les réactions affectives paradoxales dans le rêve et dans la démence
précoce ? On ne sait, mais il n'est pas inutile de faire observer que c'est en allant,
encore une fois, de l'abstrait au concret,
du subjectif à l'objectif, en suivant cette
route qui est la seule route de la connaissance, qu'on est parvenu à arracher une
partie du rêve à ses ténèbres et qu'on a pu
entrevoir le moyen de le faire servir à une
connaissance plus grande des aspirations
fondamentales du rêveur en même temps
qu'à une appréciation plus juste de ses
besoins immédiats.

La seule possibilité qui s'offre à nous
d'éprouver la valeur des moyens de connaissance mis le plus récemment à notre dispo-
sition pour l'étude du rêve consiste à voir
par nous-mêmes si la vérité objective de la
théorie qu'on nous soumet est susceptible
de trouver sa confirmation dans le critérium de la pratique. Faute, comme nous
l'avons vu, de pouvoir tenir un compte
précis des résultats soi-disant obtenus par

l'application de ces moyens à la thérapeutique des maladies mentales, il semble que nous ne puissions mieux faire qu'expérimenter sur nous-mêmes la méthode en cause, afin de nous assurer que de l'être sensible immédiat que nous avons sans cesse en vue et qui est nous, nous sommes en mesure par elle de passer à ce même être mieux connu dans sa réalité, c'est-à-dire non plus comme être immédiat, mais dans plusieurs de ses nouvelles relations essentielles (unité de l'essence humaine et du phénomène rêve). A supposer que cette épreuve soit satisfaite dans ses résultats, qu'elle nous rende conscients d'un progrès accompli dans la connaissance de nous-même et, par suite, concurremment, dans celle de l'univers, il nous sera loisible de confronter cette nouvelle image des choses avec l'ancienne, puis de puiser dans cette confrontation de nouvelles forces pour nous affranchir de certains préjugés qui nous restaient encore et porter un peu plus loin notre position de combat.

Tout ce qu'à cet effet, il me paraît nécessaire de retenir de l'œuvre de Freud est la méthode d'interprétation des rêves, et ceci pour les raisons suivantes : c'est de beaucoup la trouvaille la plus originale que cet auteur ait faite, les théories scien-

tifiques du rêve n'ayant laissé, avant lui,
aucune place au problème de cette interprétation; c'est là par excellence ce qu'il
a rapporté de son exploration quotidienne
dans le domaine des troubles mentaux, je
veux dire ce qu'il doit avant tout à l'observation minutieuse des manifestations extérieures de ces troubles; enfin, c'est là de
sa part une proposition de caractère exclusivement pratique, à la faveur de laquelle
il est impossible de nous faire passer sans
contrôle telle ou telle opinion suspecte ou
mal vérifiée. Il n'est aucunement nécessaire, pour vérifier sa valeur, de faire
siennes les généralisations hâtives auxquelles l'auteur de cette proposition, esprit philosophiquement assez inculte, nous
a accoutumés par la suite.

La méthode d'interprétation psychana-
lytique des rêves eût depuis plus d'un
quart de siècle fait ses preuves si deux
obstacles à première vue presque insurmontables n'étaient venus interrompre son
essor, réduisant considérablement la portée de ses investigations. C'est tout d'abord
le barrage défini sous le nom de « mur de
la vie privée », barrage social derrière lequel il est entendu que l'homme, sans
coupable indiscrétion, ne peut chercher à
rien voir. Freud lui-même, qui est le premier à témoigner, à cet égard, d'une

liberté d'esprit assez exceptionnelle à laquelle on ne peut que rendre hommage, n'échappe pas à la crainte d'aller trop loin dans ses confidences. « On éprouve, écrit-il, une pudeur bien compréhensible à dévoiler tant de faits intimes de sa vie intérieure et on craint les interprétations malveillantes des étrangers. » A la fin du fameux rêve « de l'injection d'Irma », il note : « On imagine bien que je n'ai pas communiqué ici tout ce qui m'est venu à l'esprit pendant le travail d'interprétation. » On l'imagine peut-être, mais à coup sûr on le regrette. Page 278 de *La Science des Rêves*, il avoue que s'il n'entreprend point de couronner sa démonstration générale par la synthèse publique d'un rêve, c'est faute de pouvoir user « avec ce sans-gêne » du matériel psychique nécessaire pour une telle démonstration. Page 375, il se déclare incapable de sacrifier des êtres chers à son ambition d'expliquer intégralement un de ses rêves. Il y revient encore, page 404 : « Le meilleur de ce que tu sais, tu ne pourras jamais le dire » et, page 434 : « On ne peut se dissimuler qu'il faut une grande maîtrise de soi pour interpréter et communiquer ses propres rêves. Il faut se résigner à paraître l'unique scélérat parmi tant de belles natures qui peuplent la terre. » L'auteur se souvient à temps qu'il

est marié, père de famille et ce même petit bourgeois de Vienne qui a longtemps
aspiré à être nommé professeur. De là,
une des contradictions les plus gênantes de
son ouvrage : les préoccupations sexuelles
ne jouent apparemment aucun rôle dans
ses rêves personnels, alors qu'elles contri-
buent d'une manière nettement prépon-
dérante à l'élaboration des autres rêves
qu'il entreprend de nous soumettre. Or, le
second obstacle sur lequel vient buter la
psychanalyse est précisément le fait que
ces derniers rêves sont en général des
rêves de malades, qui plus est : d' « hystériques », c'est-à-dire de gens tout particulièrement suggestionnables et susceptibles, en outre, de fabulation on ne peut
plus complaisante dans ce domaine. Loin
de moi l'intention de réduire par ces propos l'importance de la sexualité dans la vie
inconsciente, que je tiens, à beaucoup près,
pour l'acquisition la plus importante de la
psychanalyse. Je reproche, au contraire, à
Freud d'avoir sacrifié le parti qu'il pouvait tirer, en ce qui le concerne, de cette
acquisition à des mobiles intéressés fort
quelconques. C'est là une désertion comme
une autre, qui ne pouvait manquer historiquement de rendre possible celle dont il
est amené plus tard à accuser Jung et
Adler, quand il les voit délaisser, pour les

spéculations abstraites les plus aventu-
reuses, l'histoire *réelle* de l'individu.

Je sais : « Que ceux qui seraient portés à
me blâmer pour cette réserve, dit Freud,
essayent d'être eux-mêmes plus explicites. »
Mais il ne me semble pas que ce soit là un
défi si difficile à relever. Peut-être suffit-il
de ne pas tenir exagérément à trop de
choses. Aucune situation humaine, qui se
prend et se donne pour ce qu'elle est, ne
peut être tenue en fin de compte pour si
risible ou si critiquable. « Rien ne vous appartient plus en propre que vos rêves,
s'écrie Nietzsche. Sujet, forme, durée, ac-
teur, spectateur — dans ces comédies, vous
êtes tout vous-même ! » Et Jean-Paul : « En
vérité, il y a plus d'une tête qui nous instrui-
rait davantage avec ses rêves réels qu'avec
ceux de sa fantaisie. » Tâchons d'être
cet observateur imprudent et sans tache.

Rêve du 26 août 1931. — Réveil
3 heures du matin. — Notation immédiate :
Une vieille femme, en proie à une vive agita-
tion, se tient aux aguets non loin de la station
de métro Villiers (qui ressemble plutôt à la
station Rome). Elle a voué une haine violente à
X * qu'elle cherche à joindre à tout prix et dont
la vie me paraît, de ce fait, en péril. X ne m'a

---

* Mon amie, autrefois.

jamais parlé de cette femme, mais je suppose
qu'elle n'a pas la conscience très claire à son
sujet et que c'est pour l'éviter qu'elle prenait soin
d'arriver toujours en taxi à la porte de la maison
du quartier où, jusqu'à ces derniers jours, nous
occupions une chambre, d'attendre à cette même
porte le passage d'un taxi pour en partir. Elle
se gardait bien de faire un pas dans la rue. Je
lui ai remis tout ce qui me restait d'argent pour
qu'elle veuille bien acquitter les frais de location,
car elle ne doit plus revenir — ceci probablement
à la suite d'une discussion plus grave, entre nous,
que les précédentes. Comme j'arrive avec un ami,
qui doit être Georges Sadoul, au haut de la rue
(de Rome?) nous croisons la vieille femme et je
remarque qu'elle épie mes gestes de très près.
Pour voir ce qu'elle va faire et peut-être aussi
pour égarer ses recherches, j'écris sur un papier
quelque chose dont je voudrais lui faire croire que
je vais le porter à mon ancien domicile. Mais,
comme elle peut lire, je modifie le nom et l'appellation initiale en en intervertissant les lettres qui
donnent, à ma surprise, le mot Manon, que,
par surcroît de précaution, j'entrelace encore avec
celles d'un mot tendre tel que ma chérie. La
vieille femme, qui me fait l'effet d'une folle,
pénètre dans l'immeuble, de l'intérieur duquel la
personne peu visible qui le garde me fait signe de
ne pas entrer. Je redoute quelque vilaine affaire,
de police ou autre — d'internement — à laquelle
X aurait été mêlée autrefois.

Chez mes parents, à l'heure du dîner, dans une maison que je ne connais pas. Je me suis muni d'un revolver, par crainte d'une irruption de la folle, et me tiens devant une assez grande table rectangulaire recouverte d'une nappe blanche. Mon père, à qui j'ai dû faire part de ma rencontre, se livre à des réflexions incongrues. Il ergote : ne connaissant pas X, il ne sait pas, dit-il, et n'a pas à savoir si elle est « mieux ou moins bien » que la vieille. Je m'irrite de ces propos et, prenant à témoin les personnes présentes, je demande s'il est possible qu'il parle normalement et sans intention de me blesser en comparant une femme de vingt *ans à une femme de* soixante-cinq *(ces deux nombres soulignés dans le rêve). M'abandonnant ensuite à mes seules réflexions, je songe que X ne reviendra jamais, qu'il est douteux que cette femme parvienne à l'atteindre ailleurs qu'où actuellement elle la cherche, ce qui me cause un sentiment mêlé de soulagement et de dépit (sentiment analysé très vite dans le rêve).*

. . . .

Me voici dans un magasin où un enfant d'une douzaine d'années (ce nombre non précisé dans le rêve) me montre des cravates. Je suis sur le point d'acquérir l'une d'elles qui me convient, lorsqu'il m'en trouve une autre, dans un tiroir, que je me laisse imposer par lui : c'est une cravate vert sombre, assez banale, à très fines rayures blanches en diagonale, tout à fait semblable à l'une de celles que je possède. Mais le jeune vendeur assure qu'elle s'harmonise particulièrement bien avec ma chemise rouge. Tout en fouillant à nouveau dans le stock de cravates, un autre vendeur, d'âge moyen, me parle d'une cravate « Nosferatu » qui se vendait bien il y a deux ans mais dont il craint que ne lui reste plus aucun spécimen. C'est moi qui découvre aussitôt cette cravate parmi les autres. C'est une cravate grenat sur les pointes de laquelle se détache en blanc et, au moins sur la pointe visible — le nœud fait — par deux fois le visage de Nosferatu qui est en même temps la carte de France vide de toute indication et dont la frontière de l'Est, très sommairement tracée en vert et bleu, si bien que je crois plutôt à des fleuves, figure d'une façon surprenante le maquillage du vampire. Je suis très impatient de montrer cette cravate à mes amis.

Je me suis retourné à cent quatre-vingts degrés vers la droite. A l'autre comptoir se tient un membre du P. C., du genre physique de Cachin. Celui-ci m'entretient avec certaines réticences d'un voyage en Allemagne que j'aurais à entreprendre prochainement. Je suis assez content. Arrive Vaillant-Couturier qui se comporte d'abord comme s'il ne me voyait pas, puis me serre la main (je suis assis). Il me parle avec plus de précision de ce voyage. J'irais d'abord à Berlin. Il m'explique assez cauteleusement que « ma foi, le sujet de la conférence à faire leur avait paru

*fort bien pouvoir être le surréalisme ». Je raille
intérieurement cette manière de présenter les
choses. On part demain. Je pense qu'heureusement, j'ai retrouvé un peu d'argent depuis tout à
l'heure. Le pseudo Cachin précise qu'on emmènera B... et, je crois, René Clair (il nomme deux
fois B...). Je songe à utiliser comme thème de
conférence, si c'est moi qui dois la faire, les
éléments du livre que je me proposais de commencer à écrire incessamment* .*

Note explicative. — L'année 1931
s'est ouverte pour moi sur des perspectives
extrêmement sombres. Le cœur était au
mauvais fixe, on ne le verra que trop
lorsque, dans la seconde partie de ce livre,
je devrai exposer à certaines fins quelques-
uns de mes égarements d'alors. X n'était
plus là, il n'était plus vraisemblable qu'elle
y fût jamais et pourtant j'avais longtemps
espéré la retenir toujours; moi qui ne crois
guère à mon pouvoir je m'étais fait longtemps de mon pouvoir cette idée que s'il
était, il devait tout entier servir à la retenir
toujours. Ainsi en allait-il d'une certaine
conception de l'amour unique, réciproque,
réalisable envers et contre tout que je
m'étais faite dans ma jeunesse et que ceux
qui m'ont vu de près pourront dire que
j'ai défendue, plus loin peut-être qu'elle

* Il s'agit du livre présent.

n'était défendable, avec l'énergie du désespoir. Cette femme, il fallait me résigner à
ne plus en rien savoir ce qu'elle devenait,
ce qu'elle deviendrait : c'était atroce,
c'était fou. J'en parle aujourd'hui, il arrive
cette chose inattendue, cette chose misé-
rable, cette chose merveilleuse et indifférente que j'en parle, il sera dit que j'en ai
parlé. Voilà, c'est fini pour le cœur. — Intellectuellement, il y avait l'extraordinaire
difficulté de faire admettre que ce n'était
pas par vulgaire romantisme, par goût de
l'aventure pour l'aventure, que je soute-
nais depuis des années qu'il n'était pas
d'issue poétique, philosophique, pratique
à l'activité à laquelle mes amis et moi nous
étions voués, hors de la Révolution sociale,
conçue sous sa forme marxiste-léniniste.
Rien n'avait jamais été plus contesté que
la sincérité de nos déclarations dans ce domaine; pour ma part, je m'attendais à ce
que, pour ne pas la reconnaître, on multi-
pliât contre nous, à perte de vue, les men-
songes et les pièges. L'action purement
surréaliste, limitée qu'elle était pour moi par
ces deux sortes de considérations, avait à
mes yeux, il faut le dire, perdu ses meilleures raisons d'être.

(Un temps s'est écoulé. J'ai constaté
l'été suivant, de l'île de Sein que son nom
doit rendre chère aux psychanalystes, que

les bateaux n'étaient ni plus ni moins im-
mobiles sur la mer. Ils sont toujours et ne
sont pas en perdition, comme toute chose.
Dans le monde entier, l'action commu-
niste suit son cours. A Castellane (Basses-
Alpes), où ce rêve, l'an dernier, est venu
me surprendre, déjà l'impossible était revenu se fondre dans le possible... Une vive
lumière baignait les platanes de la place.)

ANALYSE. — *Une vieille femme, qui semble
folle, guette entre « Rome » et « Villiers »* : Il
s'agit de Nadja, de qui j'ai naguère publié
l'histoire et qui habitait, lorsque je l'ai
connue, rue de Chéroy, où semble bien
conduire l'itinéraire du rêve. Elle n'est si
vieille que, parce que, la veille du rêve,
j'ai fait part à Georges Sadoul, qui se
trouvait seul à Castellane avec moi, de
l'étrange impression de non-vieillissement
que m'avaient produite les démentes pré-
coces, lors de ma dernière visite à Sainte-
Anne, il y a quelques mois. Je ne m'étais
pas plus tôt livré à cette appréciation que
j'en avais éprouvé une certaine inquiétude : comment serait-il possible ? est-ce
bien exact ? sinon pourquoi dis-je cela ?
(*défense* contre l'éventualité d'un retour
de Nadja, saine d'esprit ou non, qui pourrait avoir lu mon livre la concernant et
s'en être offensée, *défense* contre la responsabilité involontaire que j'ai pu avoir dans

l'élaboration de son délire et par suite dans son internement, responsabilité que X m'a souvent jetée à la tête, dans des moments de colère, en m'accusant de vouloir la rendre folle à son tour). En ce qui concerne les traits de la femme, assez effacés dans le rêve, je crois pouvoir noter qu'ils se confondent ou se composent avec ceux d'une personne âgée qui me regarde un peu trop fixement, ou d'une table trop proche, à l'heure des repas.

L'arrivée et le départ de X en taxi : C'était bien réellement son habitude. Je lui ai longtemps connu, outre la paresse de marcher dans Paris, la phobie de traverser les rues. Même hors de la vue de toute voiture, elle pouvait rester ainsi longtemps immobile au bord d'un trottoir (son grand-père était mort écrasé par un camion qu'il conduisait). J'avais cru pouvoir un jour l'aider à réagir définitivement contre cette phobie en lui assurant que si, depuis quelques mois, elle avait moins peur, c'est que sans doute elle se savait mariée et par là, au sens populaire, « garée des voitures », ce qui avait paru la frapper.

Tout ce qui me restait d'argent pour acquitter les frais de location : Souvent, j'ai cherché à me persuader — à tort ou à raison — que les embarras pécuniaires que je subissais n'étaient pas étrangers à ses déterminations

de départ. Justification rétrospective aussi,
vis-à-vis de Nadja, que je me suis maintes
fois reproché d'avoir laissé manquer d'argent les derniers temps.

Elle ne doit plus revenir : Cette fois réellement, comme la dernière fois et non plus
comme les autres fois.

Avec un ami, qui doit être Sadoul : Ceci en
raison du fait que je l'ai vu il y a des années
très épris d'une femme qui portait ce
même prénom : X, pour se révéler par la
suite être une amie d'enfance de mon amie
et même lui avoir emprunté ce prénom,
qu'elle avait substitué à *Hélène*, le sien.

Manon : C'est le nom qui est resté à ma
cousine germaine d'une appellation que,
paraît-il, je lui donnais étant enfant. J'ai
éprouvé pour elle, vers dix-neuf ans, un
grand attrait sexuel, que je prenais alors
pour l'amour. Le rêve, ici, tend visiblement à reproduire cette illusion, de manière à réduire l'importance que X a eue
pour moi, à ruiner l'idée exclusive que j'ai
voulu me faire de cet amour, en pensant à
elle. La personnalité de Manon se trouve
ici introduite par l'étonnement dont la
veille je faisais part à Sadoul d'avoir un
jour reçu de mon oncle (son père) une
lettre de remerciements, non ironique, en
réponse à une lettre de souhaits que je
savais fort bien ne pas lui avoir adressée.

On me fait signe de ne pas entrer : Il faut voir ici l'expression commune de mon désir, déjà formulé, de ne plus me retrouver en présence de Nadja, telle qu'elle doit être devenue et de celui d'éviter, avec X, toute espèce de nouvelle explication inutile et navrante.

Quelque vilaine affaire... Allusion à des fréquentations douteuses que X a pu avoir autrefois. Sous une forme véhémente, je lui reproche de consentir à vivre encore avec un individu qui a cherché jadis, en provoquant contre elle de faux témoignages, à la faire arrêter.

Une assez grande table rectangulaire recouverte d'une nappe blanche : J'ai pris l'habitude, à Castellane, de lire et d'écrire à une petite table rectangulaire située sous les arcades extérieures de l'hôtel. Le lundi 24 août, par exception, je me tenais à une table ronde, voisine de celle-ci, quand je remarquai qu'à la table rectangulaire une jeune femme que je n'avais pas encore vue paraissait occupée à écrire des vers. Je songeai qu'elle pouvait revenir les jours suivants et que je devrais lui abandonner cette table, dont elle s'accommodait peut-être mieux que des autres, comme moi. Cette jeune femme me parut curieuse et jolie, j'eusse très volontiers engagé la conversation avec elle. La suite du rêve

permettra, d'ailleurs, de la retrouver. Toujours est-il qu'au dîner, à une table ronde,
la nappe de papier rectangulaire étant restée relevée sur ma droite du fait qu'elle
touchait au mur par un de ses bords, je
posai par mégarde sur la partie non recou-
vrante du papier la carafe d'eau qui se
brisa à grand fracas, éclaboussant à mes
pieds les cahiers sur lesquels j'avais pris
quelques notes générales sur les rêves. Cet
acte manqué était déjà par lui-même révélateur du désir de m'asseoir dehors à la
table rectangulaire, en compagnie de la
jeune femme. La table est rectangulaire
dans le rêve pour cette même raison et
aussi assez grande pour que ce qu'on pose
sur elle ne se brise pas. (Sexuellement on
sait que la table mise symbolise la femme ;
il est à remarquer que dans le rêve on *se
prépare* seulement à servir.)

Les réflexions incongrues de mon père : Elles
renouvellent un sujet de rancune que j'ai
pu récemment avoir contre lui. Comme
dans un mouvement de grande tristesse
plutôt, à vrai dire, que de confiance, j'avais
été amené à lui écrire, parlant de X :
« Cette femme m'a fait un mal immense,
incommensurable », il m'avait répondu :
« Comme tu dis, ta mère et moi, pensons
que cette femme t'a fait... » (Suivait la
répétition des termes dont je m'étais servi,

chose que je n'ai jamais pu souffrir en
méthode de correspondance, et diverses
considérations morales qu'il eût pu, en la
circonstance, m'épargner.)

Vingt ans, soixante-cinq ans : Sadoul et moi
nous étions défendu, le 25 au soir, d'entrer
à l' « Eden-Casino » (comme s'intitule un
petit établissement de Castellane) où la
veille nous nous étions trop laissé tenter
par deux assez beaux « appareils à sous »,
dont l'un sensiblement plus ancien, *moins
bien réglé* que l'autre. Il s'agit, pour gagner
à ce jeu, d'assembler dans un ordre pres-
crit diverses images tapissant trois roues et
figurant des citrons, des prunes, des
oranges, des cerises et des cloches, l'apparition de l'inscription *Free Play*, réservée sur
la première roue, permettant dans certains
cas de rejouer gratuitement. Nous y avions
perdu, dans la journée de lundi, des sommes
relativement élevées, ce que j'avais exprimé
en payant les consommations, qui étaient
de cinq francs, par ces mots : « Deux
fines : soixante-cinq francs, ce n'est pas
mal », à quoi Sadoul avait ajouté qu'il
avait, lui, perdu vingt francs. Il est clair
que l'unité monétaire a été ici convertie
en année, en application rigoureuse du
principe que *depuis* j'ai trouvé formulé par
Freud, page 369 de *La Science des Rêves*, et
qui rend compte dans le rêve de la réalité

Pl. I. — Nosferatu le vampire. (*Page 40*).

Pl. 2. — A l'Éden-Casino. *(Page 48)*.

du proverbe : « Time is money. » L'attri-
bution formelle de cet âge, vingt ans, à X
de qui je sais pourtant que ce n'est pas le
sien, a, naturellement, une autre origine.
X m'a raconté jadis que le jour où elle
eut vingt ans, jour où elle se trouvait très
seule et d'autant plus triste que, du plus
loin qu'elle se rappelait, elle avait fait
tenir dans cette date anniversaire tout un
monde de puissance féminine et de joie,
elle resta émerveillée, à n'oser de longtemps le défaire, devant un paquet qu'on
vint apporter pour elle et qui, à en juger
par l'extérieur, ne pouvait contenir qu'un
magnifique présent. S'étant décidée, avec
mille précautions, à en explorer le contenu,
elle découvrit, je l'ai vue encore en pleurer,
un bidet plein de « soleils » (tournesols).
Jamais elle ne sut qui avait songé — son
oncle, un amant? — à mettre à exécution
cette plaisanterie de grand style que,
pour ma part, j'ai toujours trouvée d'une
conception splendide et effroyable.

. . . .

L'enfant d'une douzaine d'années : La transition avec cette suite du rêve est fournie
par les « soleils ». C'est ici une conversion
d'espace en temps. Il y a, tout près de
l'endroit où j'écris, sur la droite, un écri-
teau qui porte ces mots : « Pont de Soleils,

12 km. », je ne l'ai découvert que le 25 août, au soir, et la distance réelle n'avait pas été par moi retenue sur le champ d'une manière sûre, d'où la légère imprécision du rêve à cet égard. Le « pont » proprement dit se redéterminera encore par ailleurs.

Je n'ai rien dit de la ligne de points qui précède l'apparition de cet enfant et qui, au moment où j'ai noté ce rêve, ne m'a pas paru témoigner d'une lacune, mais bien plutôt mettre fin, ici, à ce que Freud appelle le rêve-prologue, celui-ci paraissant d'une part destiné à justifier ce qui se passe ensuite, en application du principe : telle chose étant, telle autre devait arriver ; d'autre part à permettre au rêve principal, tenant la place de la proposition principale dans le raisonnement éveillé, de se centrer clairement sur la préoccupation dominante du dormeur. Tout se passe comme si ce dernier entendait résoudre de la sorte un problème affectif particulièrement complexe qui, en raison même de son caractère trop émouvant, défie les éléments d'appréciation consciente qui déterminent pour une part, la conduite de la vie. C'est dire si la solution ainsi découverte et admise par le rêveur, qu'elle soit ou non connue de lui au réveil, est de nature à influencer profondément ses dispositions, à forcer chez lui, par le versement au dossier de pièces secrètes, le jugement. Ce n'est sans doute pas dans un autre sens qu'il faut entendre que « la nuit porte conseil » et l'on voit que ce n'était pas pure extravagance, de la part des anciens, de faire interpréter leurs rêves. Au point où j'en suis arrivé de cette analyse, il est clair que le rêve en cause tend à me débarrasser d'une inquiétude réelle, très vive, qui repose sur la difficulté morale où je me suis trouvé durant des mois de surprendre comment, de cette conception de l'amour limité à un seul être, conception dont j'ai fait état dans la note explicative et qui ne saurait humainement survivre à mon amour pour cet être, je puis passer à une conception différente sans perdre toute valeur à mes propres yeux. Chacun sait que le rêve, optimiste et apaisant dans sa nature, au moins quand il n'est pas sous la dépendance d'un état physique alarmant, tend toujours à tirer parti de telles contradictions dans le sens de la vie. Rien d'étrange, donc, à ce que celui-ci porte contre X (« quelque vilaine affaire ») une accusation qui n'a jamais été fondée dans la vie. Le rêve fait ici justice, de la manière la plus accommodante pour moi, du doute très pénible où je me suis trouvé maintes fois à son sujet, incapable d'accabler en elle la femme que j'avais aimée : a-t-elle bien été coupable vis-à-vis de moi, n'ai-je pas été aussi coupable vis-à-vis d'elle, dans quelle mesure la rupture survenue entre nous lui est-elle imputable, m'est-elle imputable, etc.? L'analyse très rapide en rêve des deux sentiments opposés que me fait éprouver l'idée que sa persécutrice ne parviendra sans doute pas à l'atteindre rend compte de ce qui peut subsister de ma rancune pour elle et de ma faiblesse pour elle, ce premier sentiment, sous sa forme active, étant d'ailleurs aussitôt combattu, refoulé et entraînant, j'imagine, dans le sommeil, quelque mouvement réel qui explique une modification sensible dans la suite des idées.

Le choix des cravates : Ce mouvement rend possible, en effet, le passage au magasin de cravates. Le rêve utilise, pour cette transition, le fait que, cette nuit-là, j'avais mal à la gorge, je toussais et avais dû, avant de me coucher, me couvrir d'ouate thermogène, ce qui m'avait conduit, pour la maintenir en place, à fermer, contrairement à mon habitude, le col de mon pyjama. Une sensation d'étranglement plus ou moins vague avait dû en résulter. Il n'est pas douteux que j'aie un « complexe » sur les cravates. Je déteste cet ornement incompréhensible du costume mas-

culin. Je me reproche de temps à autre de
sacrifier à un aussi pauvre usage que celui
de nouer chaque matin devant une glace
(j'essaie d'expliquer aux psychanalystes)
ce bout d'étoffe qui doit rehausser d'un
rien très attentif l'expression déjà idiote du
veston à revers. C'est, tout simplement,
déconcertant. Je n'ignore pas, par ailleurs,
et suis bien incapable de me dissimuler
que, de même que les appareils à sous,
sœurs du dynamomètre sur lequel s'exerce
victorieusement le Surmâle de Jarry (« Ve-
nez, Madame ») symbolisent sexuellement
— la disparition des jetons par la fente —
et métonymiquement — la partie pour le
tout — la femme, de même la cravate, et
ceci ne serait-ce que d'après Freud, figure
le pénis, « non seulement parce qu'elle
pend et parce qu'elle est particulière à
l'homme, mais parce qu'on peut choisir à
son gré, choix que la nature interdit
malheureusement à l'homme » *(La Science
des Rêves)*. Cette question de la liberté de
choix, du *Free Play*, inutile de le rappeler,
résume la préoccupation essentielle du
rêve. Au cours d'une « enquête sur la
sexualité », conçue sous une forme analogue à celle dont les résultats ont naguère
été publiés dans *La Révolution Surréaliste*, et
de laquelle a également été dressé un
procès-verbal demeuré depuis lors inédit,

Benjamin Péret et moi avons été, je me souviens, les seuls à déclarer que nous évitions autant que possible, hors de l'état d'érection, d'être vus nus par une femme, ceci entraînant pour nous certaines idées d'indignité. Ce complément d'information me paraît dû aux psychanalystes que révolterait le terre-à-terre de mon interprétation. Entre autres déterminations moins exaltantes, je crois devoir signaler que, quelques jours plus tôt, à Malamaire (Alpes-Maritimes), j'avais oublié et, comme je pouvais craindre alors, perdu une écharpe qui m'avait été donnée et à laquelle je tenais. A l'hôtel Reine des Alpes où j'habitais alors, hôtel tenu par des gens assez inquiétants, un enfant de l'âge du premier vendeur de cravates du rêve était employé à diverses corvées.

La cravate vert sombre : Je possède en réalité une cravate un peu semblable, objet qui n'est associé, à ma connaissance, à rien de particulier. Cependant, je crois avoir, ces dernières années, aimé et recherché le vert dans les étoffes d'habillement. Cette cravate, que j'ai dû beaucoup porter, est maintenant usée.

La chemise rouge : J'arbore en effet depuis peu une chemise de cette couleur.

Nosferatu : Le 25 au soir, il y avait assez loin sur ma gauche, dans la salle à manger, un dîneur sur qui j'attirai l'attention de Sadoul. Ce monsieur, à l'œil très éteint, ne pouvait guère être qu'un professeur (d'université, sans doute assez méchant, pensait Sadoul). Son teint était ce qui avait d'abord retenu mon regard. Il me faisait, par son visage, comme j'ai dit alors, l'effet d'un dessin *gommé* sur lequel le crayon, pour permettre de situer les yeux, la barbe, se fût seulement un peu écrasé de place en place. Je songeai, d'une part, au professeur type de philosophie réactionnaire à qui ne cesse de s'en prendre Lénine dans *Matérialisme et Empiriocriticisme* et, mieux sans doute que par simple association d'idées avec la personne désignée sous le nom de « la dame au gant » dans *Nadja*, à qui sa femme, assise près de lui, pouvait passer pour ressembler, d'autre part à M. F., directeur de laboratoire à l'Institut Pasteur, qui, au physique, pour un homme de science, m'a toujours paru singulièrement indécis. (J'étais d'ailleurs, depuis plusieurs jours, le jouet de diverses ressemblances, imaginaires ou non, comme cela peut, je crois, se produire lorsque après un trop grand isolement du monde, on se trouve mêlé à un certain nombre d'inconnus. La ressemblance physique ne se semble pas, du reste, opérer seule. C'est ainsi qu'un habitué de l'hôtel m'avait

paru, du premier jour, pouvoir être désigné sous le nom de Riazanov, sans que je
me rappelle avoir jamais eu l'occasion de
me figurer les traits de ce dernier). M. F.,
en tant que personnage « effacé », pour
donner Nosferatu, me semble ici être entré
en composition avec cette phrase lue le
même jour au dos d'un cahier d'écolier sur
lequel j'avais pris des notes : « La tribu des
Ruminants à cornes velues comprend les
ruminants dont les cornes consistent en
une proéminence de l'os du crâne, enveloppée d'une peau velue qui se continue
avec celle de la tête et qui ne tombe jamais; on n'en connaît qu'une espèce, la
Girafe » (confusion avec l'oreille velue de
Nosferatu — il est à signaler, d'autre part,
que le choix de ce cahier et de quelques
autres, un jour plus tôt, intervient encore
comme élément surdéterminant dans le
choix des cravates — la hauteur insolite
du cou chez la girafe est utilisée ici comme
moyen de transition pour permettre l'iden-
tification symbolique de la girafe et de la
cravate au point de vue sexuel). Une
chauve-souris circulant chaque soir sous
les arcades de l'hôtel n'a pu manquer de
parachever le personnage du vampire. Son
entrée en scène est enfin justifiée par l'aspect de certains paysages des Basses-Alpes
à la tombée de la nuit, assez semblables à

ceux dans lesquels se déroule le film et qui, quelques jours plus tôt, m'avaient fait évoquer dans la conversation la phrase que je n'ai jamais pu, sans un mélange de joie et de terreur, voir apparaître sur l'écran : « Quand il fut de l'autre côté du pont, les fantômes vinrent à sa rencontre. » On découvre ici le pont, d'ailleurs symbole sexuel des plus clairs, pour la seconde fois.

Le vendeur craint qu'il n'en reste plus aucun spécimen : Allusion à la disparition longtemps déplorée du négatif du film et à la crainte que la copie en circulation ne devienne prochainement inutilisable.

Description de la cravate Nosferatu : La jeune femme dont j'ai parlé, à propos de la table rectangulaire du rêve, est revenue le mardi prendre le thé à la terrasse de l'hôtel. Elle était, cette fois, vêtue en paysanne allemande (la veille elle lisait des livres en allemand) et nous avons pensé, Sadoul et moi, qu'elle ne pouvait être que la femme d'un ingénieur occupé à la construction de barrages sur le Verdon. Vers six heures, après avoir déplacé sans grand agrément sous nos yeux les pièces d'un petit échiquier et fait mine de se tirer les cartes, elle était partie, comme nous avions supposé en la voyant traverser la place, à la rencontre de son mari et je

l'avais perdue de vue au tournant du petit
pont de Demandolx, situé immédiatement
derrière cette place, pont sur lequel je ne
m'étais pas engagé. Au moment où j'avais
songé la veille à lier conversation avec elle,
je m'étais représenté vivement la difficulté
que j'eusse éprouvée à l'entretenir dans sa
langue, difficulté d'autant plus surprenante
pour elle qu'elle pouvait avoir déchiffré
en passant près de moi les noms des auteurs allemands des ouvrages que je lisais.
Le rêve, encore une fois, réalise simultanément ici deux sortes de désirs, le premier
étant celui de parler librement à cette
femme, le second celui de supprimer toute
cause d'incompréhension, patriotiquement
exploitable, entre la France où je vis et le
merveilleux pays, tout de pensée et de lumière, qui a vu naître en un siècle Kant,
Hegel, Feuerbach et Marx. La substitution
de fleuves, d'un tracé particulièrement
lâche, à la frontière de l'est sur la carte ne
peut ici être interprétée que comme nouvelle invitation à *passer le pont,* cette volonté
si insistante du rêve continuant, bien entendu, par ailleurs, à me persuader de la
nécessité pour vivre de me libérer des scru-
pules d'ordre affectif et moral qu'on a pu
voir bouillonner en son centre. En d'autres
termes, elle tend à me convaincre, puisque
je vis, que personne n'est irremplaçable

et cela pour la seule raison que cette idée
est contraire à la vie.

La figuration assez inattendue du visage
de Nosferatu sur les pointes de la cravate
me donne à penser qu'elle est plus ou
moins calquée sur celle d'un personnage
qui se retrouve fréquemment dans les tableaux et les dessins de Salvador Dali, je
veux parler du *Grand Masturbateur* que
reproduit d'ailleurs, sous un aspect peu
différent de l'aspect habituel, mon ex-
libris. La ligne de maquillage de la tête
du vampire paraît bien se confondre avec
le bord de la paupière longuement ciliée
et c'est très probablement celle-ci qui lui
imprime dans le rêve son orientation flot-
tante. D'autre part, au jeu de papier plié
dit du « Cadavre exquis » qui consiste à
faire dessiner par trois personnes succes-
sives les parties constitutives d'un personnage sans que la seconde puisse tenir
compte de la collaboration de la première,
la troisième de celle de la première et de la
seconde (Cf. *Variétés*, juin 1929, *La Révolution surréaliste*, nᵒ 10), il m'est arrivé de
donner la carte de France pour tête à l'un
des êtres hybrides qu'on voulait obtenir.

Le demi-tour à droite : Il est à prendre pour
une véritable rectification de position, sans
doute dans le sens où Stekel interprète dans

le rêve le chemin de droite : route du bien.

Le pseudo-Cachin : Il procède évidemment du faux Riazanov.

Le voyage en Allemagne : A ce voyage s'applique la plus grande partie de ce qui vient d'être dit relativement au désir de passer le pont. Il est clair que l'éveil approche et, avec lui, l'idée des réalisations sur le plan pratique. La proposition du sujet de conférence, avec l'indication de raillerie qu'elle provoque, l'entrée de Vaillant-Couturier avec qui j'ai eu, l'hiver dernier, une longue conversation sur l'utilisation possible des surréalistes par le P. C., conversation de sa part assez surveillée, ne sont pas sans témoigner d'un certain retour au sens critique.

J'ai retrouvé un peu d'argent : Les déboires dont il a été question plus haut ont momentanément pris fin.

On emmènera B... et René Clair : La raillerie se poursuit, à coup sûr, aux dépens du premier, personnage littéraire inconsistant, véritable « fantôme » de qui le rêve s'empare sans doute pour rappeler que X m'a conté naguère qu'il avait un « ventre en argent », l'argent dont il vient d'être question dans le rêve ayant lui-même fait réapparaître X, mais cette fois tout à fait à la cantonade, pour bien signifier que le « pont » est passé. René Clair (si c'est lui) intervient parce que mêlé d'une manière tout extérieure à la réalisation d'un film dont le scénario, d'Aragon et moi, devait être repris d'un sujet d'opéra, conçu primitivement en vue d'une représentation à Berlin. Le rêve prête ici aux organisateurs du voyage l'intention de limiter sciemment, en l'obligeant à se situer sur le plus vague plan artistique, l'action révolutionnaire que je voudrais mener.

Le thème de la conférence : Il exprime mon désir de ne pas être pris au dépourvu, de parvenir à concilier sur le plan objectif mes diverses préoccupations, ce désir, qui devient de plus en plus aigu, m'invitant à entreprendre d'urgence un travail que j'ai remis à regret depuis trop longtemps.

On m'accordera, j'espère, que l'analyse précédente, qui suit pas à pas le contenu manifeste de ce rêve, limitée qu'elle est, il est vrai, par la non-reconstitution de la scène infantile dont il procède très vraisemblablement pour une part, mais dont le rappel ne présenterait ici qu'un intérêt secondaire, ne laisse de côté aucun des éléments plus ou moins récents qui ont pu contribuer à sa formation. Les carrefours qu'il présente ont été, je crois, explorés en tous sens et aucune préférence exclusive n'est venue se manifester de ma part en ce

qui concerne la prééminence à accorder à
tel ou tel ordre de détermination (objective, subjective, organique ou psychique).
Une telle interprétation, dont on peut dire
qu'elle n'est jamais *finie*, me paraît de
nature à éclairer d'une manière suffisante
la pensée du rêve, que je ne crois pas avoir
cherché le moins du monde à dérober derrière ma vie intime. J'insiste très vivement
sur le fait qu'elle *épuise*, selon moi, le
contenu du rêve et réduit à néant les diverses allégations qui ont pu être portées
sur le caractère « inconnaissable » (in-
cohérent) de celui-ci... Nul mystère en fin
de compte, rien qui soit susceptible de faire
croire, dans la pensée de l'homme, à une
intervention transcendante qui se produi-
rait au cours de la nuit. Je ne vois rien,
dans tout l'accomplissement de la fonction
onirique, qui n'emprunte clairement, pour
peu qu'on veuille se donner la peine de
l'examiner, aux seules données de la *vie
vécue*, rien qui, je ne saurais y revenir trop
de fois, soustraction faite de ces données
sur lesquelles s'exerce poétiquement l'imagination, puisse constituer un *résidu* appréciable qu'on tenterait de faire passer pour
irréductible. Du point de vue du merveilleux poétique : quelque chose peut-être;
du point de vue du merveilleux religieux :
absolument rien.

L'analyse précédente a montré que, contrairement à ce que le contenu manifeste du rêve tend à faire apparaître comme préoccupation principale, la trouvaille de la cravate répondant d'ailleurs bien réellement au goût que je puis avoir de découvrir et même de posséder toutes sortes d'objets bizarres, d'objets « surréalistes », l'*accent* est, en réalité, posé ailleurs et, tout particulièrement, comme on l'a vu, sur la nécessité de rompre avec un certain nombre de représentations affectives, de caractère paralysant. Sous une forme des plus impératives, le rêve, dans le récit duquel l'idée de passage de pont n'est pas exprimée mais, par contre, est suggérée d'au moins trois manières et portée au premier plan de l'interprétation par les acteurs les plus marquants : X, Nosferatu, la jeune Allemande, personnage de simple fixation que, du reste, on ne voit pas, le rêve, dis-je, m'engage à éliminer et, peut-on dire, élimine pour moi la part consciemment la moins assimilable du passé. J'affirme ici son utilité capitale, qui n'est point d'agrément aussi vain que d'aucuns ont voulu faire croire, qui est mieux même que de simple cicatrisation, mais qui est de mouvement au sens le plus élevé du mot, c'est-à-dire au sens pur de contradiction réelle qui conduit en avant. A la très courte échelle du jour de vingt-quatre heures, il aide l'homme à accomplir le *saut vital*. Loin d'être un trouble dans la réaction de l'intérêt de la vie, il est le principe salutaire qui veille à ce que cette réaction ne puisse être irrémédiablement troublée. Il est la source inconnue de lumière destinée à nous faire souvenir qu'au commencement du jour comme au commencement de la vie humaine sur la terre il ne peut y avoir qu'une ressource, qui est l'*action*.

Je crois avoir montré en passant, lorsque j'ai fait valoir la liaison qui existait entre le rêve-prologue et le rêve principal, que les relations causales, ici, n'étaient aucunement supprimées. Le travail d'interprétation, qui a permis de saisir la transformation plus ou moins immédiate de certaines images (le visage de Nosferatu, la carte, B..., etc.) ne laisse subsister à cet égard aucun doute. Il est, en effet, bien entendu que, d'une part, le rêve ne dispose d'aucun terme pour exprimer l'alternative ni la contradiction (« Même dans l'inconscient, note Freud, toute pensée est liée à son contraire ») et que, d'autre part, dans la veille même, au point de vue dialectique qui doit à tout prix surmonter le point de vue de la logique formelle, « les notions de cause et d'effet se concentrent et s'entrelacent dans celle de l'interdépendance uni-

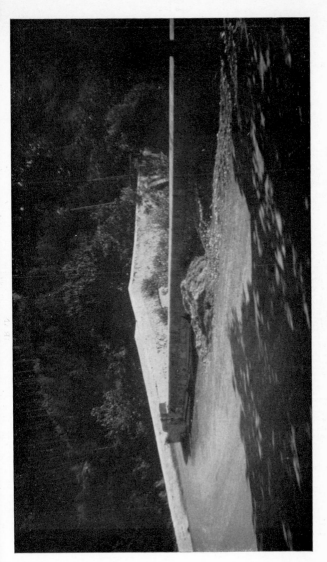

Pl. 3. — AU TOURNANT DU PETIT PONT. (*Page 58*).

Pl. 4. — LE GRAND MASTURBATEUR, (Page 59).

verselle au sein de laquelle la cause et l'effet ne cessent de changer de place » (Engels). Cette seule considération me paraîtrait de nature à faire justice des théories selon lesquelles le rapport causal dans le rêve serait introduit après coup.

Reste à savoir si l'espace et le temps, tenus par la philosophie matérialiste non pour simples formes des phénomènes, mais pour conditions essentielles de l'existence réelle, subissent au cours du rêve une crise particulière, qui pourrait au besoin être exploitée aux dépens de cette philosophie. La thèse de Fechner selon laquelle « la scène du rêve n'est pas la même que celle où se déroulent nos représentations pendant la veille », celle de Haffner selon laquelle la première caractéristique du rêve serait l' « absence de temps et d'espace » seraient, à elles seules, pour nous rendre conscients de ce danger. C'est là, à n'en pas douter, pure et simple méprise sur le caractère du travail de *condensation*, tel qu'il s'exerce dans le rêve, ou volontaire abus commis à partir de ce qui peut, malgré tout, rester obscur dans les particularités de ce travail. Que je sois amené, au cours d'un seul rêve, à faire intervenir les divers personnages qui peuplaient la scène tout à l'heure et qui n'ont dans la vie, hors de moi, précisément aucune raison d'agir

d'une manière interdépendante, témoigne
du besoin inhérent au rêve de *magnifier* et
de *dramatiser*, autrement dit de présenter
sous une forme théâtrale des plus intéres-
santes, des plus frappantes, ce qui s'est en
réalité conçu et développé assez lentement,
sans heurts trop appréciables, de sorte que
la vie organique puisse se poursuivre. Peut-
être même y a-t-il là, puisque je parle
théâtre, de quoi justifier dans une certaine
mesure la règle des *trois unités*, telle qu'elle
s'est imposée curieusement à la tragédie
classique et cette loi de l'*extrême raccourci*
qui a imprimé à la poésie moderne un de
ses plus remarquables caractères. Entre ces
deux tendances à résumer sous une forme
succincte, brillamment concrète, ultra-ob-
jective, tout ce à quoi l'on veut imposer et
faire imposer telle ou telle espèce de dé-
nouement, il ne doit y avoir que la distance historique de trois siècles, passés par
l'homme à épiloguer de mieux en mieux
sur son sort et à vouloir faire épiloguer de
même les hommes futurs. Ce travail de
condensation s'opère, d'ailleurs, à chaque
instant, dans la vie éveillée : « Il a toujours été entendu que, aussi bien à l'état
de veille que dans le rêve, une émotion
intense implique la perte de la notion du
temps » (Havelock Ellis). Le temps et l'espace ne sont à considérer ici et là, mais

pareillement ici et là, que sous leur aspect dialectique, qui limite toute possibilité de mensuration absolue et vivante au mètre et à l'horloge, cela soit dit en parfait accord avec la pensée de Feuerbach : « Dans l'espace, la partie est plus petite que tout ; dans le temps, au contraire, elle est plus grande, du moins subjectivement, parce que la partie dans le temps est seule réelle, tandis que le tout n'est qu'un objet de la pensée et qu'une seconde dans la réalité nous paraît durer plus longtemps qu'une année entière dans l'imagination. » Le temps et l'espace du rêve sont donc bien le temps et l'espace réels : « La chronologie est-elle obligatoire ? Non ! » (Lénine.) Toute tentative faite pour les différencier de ceux-ci ou pour ruiner ceux-ci à l'aide de ceux-là (ou de l'absence soi-disant constatée de ceux-là) n'a pour objet que de voler au secours du fidéisme, comme l'a dit, en effet, Engels, « les êtres en dehors du temps et de l'espace créés par les clergés et nourris par l'imagination des foules ignorantes et opprimées [n'étant] que les produits d'une fantaisie maladive, les subterfuges de l'idéalisme philosophique, *les mauvais produits d'un mauvais régime social* ».

Entendons-nous sans plus tarder sur la nature de ces êtres. Il importe avant tout

de les distinguer d'un certain nombre de
constructions poétiques, artistiques qui, du
moins extérieurement, paraissent se soustraire aux conditions d'existence naturelle
de tous les autres objets. Pour m'en tenir
au domaine plastique, je n'aurai qu'à donner pour exemples de ces « monstres »,
outre *le Grand Masturbateur* de Dali dont
j'ai déjà parlé, *le Joueur de Clarinette* de
Picasso, *le Vaticinateur* de Chirico, *la Mariée*
de Duchamp, *la Femme 100 Têtes* d'Ernst,
tel étrange personnage en mouvement de
Giacometti. Le caractère bouleversant de
ces diverses productions, joint à la tendance remarquable qu'elles ont depuis
une vingtaine d'années, dans tous les pays
du monde, à se multiplier, ceci du reste
avec plus ou moins de bonheur, mais, à
coup sûr, en dépit de l'opposition quasi
générale qu'elles rencontrent, est bien pour
nous faire réfléchir sur la nécessité très
particulière à laquelle elles peuvent répondre au xxe siècle. J'estime que c'est
grandement à tort qu'on s'efforce de leur
trouver des antécédents dans l'histoire, du
côté des primitifs et des mystiques. Ces
diverses figures, dont le premier aspect révoltant ou indéchiffrable en impose au
profane pour des créations ésotériques, ne
peuvent en rien, pourtant, être mises sur
le même plan que les êtres imaginaires

enfantés par la terreur religieuse et échap-
pés à la raison plus ou moins troublée d'un
Jérôme Bosch ou d'un William Blake.
Rien, en ces figures, qui puisse finalement
se soustraire à une interprétation analogue
à celle que j'ai fait porter sur cet objet de
rêve : la cravate « Nosferatu », et ceci
pourvu que l'artiste ne commette l'erreur
de confondre le mystère réel, persistant,
de son œuvre avec de misérables cachot-
teries, ce qui par malheur est assez souvent
le cas. La théorie variable qui préside à la
naissance de cette œuvre, quelle qu'elle
soit, et si capable qu'elle soit de justifier
a posteriori tel ou tel mode de présentation
(cubisme, futurisme, constructivisme, surréalisme — cette dernière toutefois un peu
plus consciente des véritables moyens artistiques que les précédentes) ne doit pas
nous faire oublier que des préoccupations
rigoureusement personnelles à l'auteur,
mais liées dans leur essence à celles de tous
les hommes, trouvent ici moyen de s'exprimer sous une forme détournée, de sorte
que si l'on nous permettait de remonter
jusqu'à elles c'en serait aussitôt fait de la
dernière chance qu'a cette œuvre, aux
yeux mal exercés, de se faire passer pour
« métaphysique ». Je me trouve dans l'obligation, pour ne pas alourdir cette partie de
mon développement, de renoncer à sou-

mettre à l'interprétation, comme je l'ai fait pour un rêve, un poème que je pourrais avoir écrit ou, à plus forte raison, un texte surréaliste. J'espère que l'expérience sera tentée et je ne doute pas qu'elle soit absolument concluante. Je me bornerai ici à donner les pires éclaircissements sur la signification réelle que je prête depuis seulement quelques jours à un objet que j'avais conçu au cours du jeu du « Cadavre exquis », dont j'ai été amené, il y a quelques pages, à exposer la règle enfantine. Cet objet-fantôme, qui n'avait pas cessé depuis lors de me paraître susceptible d'exécution, et de l'aspect réel duquel j'attendais une assez vive surprise, peut se définir comme suit (je l'avais dessiné, tant bien que mal, en guise de buste, sur le second tiers du papier; ce dessin a été reproduit dans le nº 9-10 de *La Révolution surréaliste*) : une enveloppe vide, blanche ou très claire, sans adresse, fermée et cachetée de rouge, le cachet rond sans gravure particulière, pouvant fort bien être un cachet *avant* la gravure, les bords piqués de *cils*, portant une *anse* latérale pouvant servir à la tenir. Un assez pauvre calembour, qui avait toutefois permis à l'objet de se constituer, fournissait le mot *Silence*, qui me paraissait pouvoir lui servir d'accompagnement ou lui tenir lieu de désigna-

tion. Voilà, me semble-t-il, un produit
d'imagination qui, de prime abord, ne doit
pouvoir tirer à conséquence : libre à moi
de me procurer par sa réalisation pratique
telle émotion qui me plaît, la partage qui
voudra. Tout au moins se présente-t-il
dans des conditions de « gratuité » suffisante pour que nul ne songe à me l'impu-
ter moralement à grief. Si l'on peut contester l'intérêt objectif d'une telle conception
et, surtout, la valeur utilitaire d'une telle
réalisation, comment pourrait-on, sans sup-
plément d'information, me reprocher d'y
avoir tenu ou seulement apercevoir les
raisons qui m'auront fait y tenir ? Il s'agit
bien là d'un objet *poétique*, qui vaut ou ne
vaut pas sur le plan des images *poétiques*,
et de rien autre. Toute la question revient
à savoir quel est ce plan. Si l'on songe à
l'extraordinaire force que peut prendre
dans l'esprit du lecteur la célèbre phrase
de Lautréamont : « Beau... comme la
rencontre fortuite sur une table de dissec-
tion d'une machine à coudre et d'un parapluie » et si l'on veut bien se reporter à la
clé des symboles sexuels les plus simples,
on ne mettra pas longtemps à convenir
que cette force tient à ce que le parapluie
ne peut ici représenter que l'homme, la
machine à coudre que la femme (ainsi, du
reste que la plupart des machines, avec la

seule aggravation que celle-ci, comme on
sait, est fréquemment utilisée par la femme
à des fins onanistes) et la table de dissec-
tion que le lit, commune mesure lui-même
de la vie et de la mort. Le contraste entre
l'acte sexuel immédiat et le tableau d'une
extrême dispersion qui en est fait par Lautréamont provoque seul ici le saisissement.
Il y a lieu, dans ces conditions, de se demander si l' « enveloppe-silence », pour
indifférente et toute capricieuse qu'elle se
donne, ne dissimule pas certaines préoccupations foncières, ne témoigne pas, en
d'autres termes, d'une activité psychique
moins désintéressée. Je ne crois pas avoir
grande précaution à prendre pour m'expliquer à ce sujet. Il me paraît, en effet,
démontré que le contenu manifeste d'une
improvisation poétique, tout comme d'un
rêve, ne doit pas nous faire augurer de son
contenu latent, tel rêve innocent ou gra-
cieux (« Pendant son séjour d'été au lac
de... elle se précipite dans l'eau sombre, là
où la lune pâle s'y reflète ») pouvant néces-
siter, à l'analyse, toutes sortes de gloses
moins séduisantes, alors que tel rêve d'aspect « choquant » (cf. *La Science des Rêves*,
p. 419) est susceptible d'une interprétation
qui n'exclut pas toute élégance. C'est en
redessinant il y a quelques jours l' « enveloppe-silence » que j'ai conçu les premières

craintes relativement à la pureté parfaite
de son intention. J'ai beau ne pas savoir
me servir d'un crayon, il faut avouer que
l'objet ainsi traité se présentait assez mal.
Comme je le regardais un peu de travers,
il me sembla que le schéma que j'en donnais tendait terriblement à la figuration
d'autre chose. Cette anse, en particulier,
me faisait assez mauvais effet. Les cils, à
tout prendre, ainsi distribués comme autour d'un œil, n'étaient guère plus rassu-
rants. Je songeai malgré moi à l'absurde
plaisanterie — de quelle origine, au fait? —
qui a fait figurer cet œil au fond de certains vases, à anse précisément. Le mot
« silence », l'emploi de papier dans la construction de l'objet, j'ose à peine parler du
sceau rouge, n'étaient amenés à prendre,
dans ces conditions, qu'un sens trop clair.
La condensation et le déplacement, produits de la censure, avaient fait le reste. Je
n'eus plus, pour achever de me convaincre,
qu'à placer par la pensée l'enveloppe-fan-
tôme dans la main d'un fantôme qui l'eût
tenue comme elle pouvait l'être, et à constater qu'elle n'y était en rien déplacée. Je
n'avais fait, somme toute, que vérifier
pour mon compte que les fantômes (de
même que les brigands imaginaires dont
l'homme adulte persiste quelquefois à
avoir peur), comme l'a dit Freud, ne sont

autre chose que, sublimés, « les visiteurs nocturnes en vêtements de nuit blancs, qui ont éveillé l'enfant pour le mettre sur le vase, afin qu'il ne mouille pas son lit, ou qui ont soulevé les couvertures pour voir comment il tenait ses mains en dormant ». Inutile de dire que pour moi de telles considérations ne sauraient en rien militer contre la mise en circulation d'objets de cet ordre, que depuis longtemps je n'ai cessé de préconiser. J'ajoute même que ce serait plutôt le contraire. Tout récemment encore, j'ai insisté auprès de mes amis pour que fût donné suite à la proposition de Dali, concernant la fabrication d'objets animables à signification érotique, autrement dit d'objets destinés à procurer, par des moyens indirects, une émotion sexuelle particulière. Plusieurs d'entre eux ont été reproduits dans le troisième numéro du *Surréalisme A. S. D. L. R.* A en juger par ceux que je connais déjà, je crois pouvoir dire, sans par là formuler la moindre réserve sur leur valeur explosive ou sur leur « beauté », qu'ils livrent à l'interprétation une étendue moins vaste, comme on pouvait s'y attendre, que les objets dans le même sens moins systématiquement déterminés. L'incorporation volontaire du contenu latent — arrêté d'avance — au contenu manifeste est ici pour affaiblir la

tendance à la dramatisation et à la magni-
fication dont se sert souverainement, au
cas contraire, la censure. Sans doute enfin
de tels objets, d'une conception trop particulière, trop personnelle, manqueront-ils
toujours de l'étonnante puissance de suggestion dont certains objets presque usuels
se trouvent par hasard disposer, n'en pren-
drais-je pour exemple que l'électroscope
à feuilles d'or (les deux feuilles sont parfaitement jointes au centre d'une cage, on
approche un bâton frotté, les feuilles
s'écartent) qui ne contribue pas peu à pas-
sionner pour les enfants l'étude de la physique.

Pour en avoir fini avec l'argumentation
qui s'efforce de faire, au moyen du rêve,
le procès de la connaissance matérialiste, il
ne reste plus — étant, je pense, admis que
le monde du rêve et le monde réel ne font
qu'un, autrement dit que le second ne fait,
pour se constituer, que puiser dans le
« torrent du donné » — qu'à tenter de faire
apercevoir sur quelles différences de relief
et d'intensité repose la distinction qui
peut être faite entre les opérations véritables et les opérations illusoires qui s'inscrivent respectivement dans l'un et dans
l'autre, de cette distinction très précise dépendant, de toute évidence, l'équilibre

mental. Si la moindre confusion durable se produit en lui à ce sujet, l'homme, en effet, se trouve suffisamment désaxé pour qu'aucune société ne puisse plus lui faire place. Il y a lieu, dans ces conditions, de se demander si cette distinction est en tous points fondée, et d'où vient à l'homme, à cet égard, la faculté de discrimination qui permet son comportement social normal. On a beaucoup entendu reparler, ces dernières années, de quelques-unes des propriétés les plus singulières, peut-être à première vue les plus troublantes, du rêve. Le critérium sensoriel, populairement invoqué, selon lequel, pour vérifier qu'on ne rêve pas, il suffirait de se pincer pour éprouver la douleur particulière attachée au pincement, ne s'est pas révélé infaillible : maint rêveur ayant pu se rappeler que, dans le sommeil, il était parvenu avec plein succès à opérer cette vérification. De même, il est relativement commun de rêver qu'on rêve ou d'introduire dans le rêve une partie d'allure indépendante qui est, à l'exception du reste, tenue pour rêvée. Enfin la pensée du rêve, qui ne recule devant aucune appréciation subtile, maligne, égarante de son propre travail, est susceptible de se comparer elle-même à l'idée que le rêveur peut se faire d'elle-même, pour tirer avantage de cette comparaison. Cette particularité n'ayant, à ma connaissance, pas été notée et admise jusqu'ici, je me permets d'en donner l'exemple suivant. Contrairement à ce qui m'a paru nécessaire pour le rêve de la cravate, je ne ferai d'ailleurs, afin de ne pas distraire inutilement le lecteur, que relater celui-ci dans ses grandes lignes, en me bornant à souligner la partie plus spéciale qui nous intéresse.

Rêve du 5 avril 1931. — Réveil 6 h. 30 du matin. — Notation immédiate :

Le soir, avec un ami, nous dirigeant vers un château qui serait aux environs de Lorient *. Sol détrempé. Eau bientôt jusqu'à mi-jambes, cette eau de couleur crème, avec des traces de vert d'eau, d'un aspect louche et pourtant très agréable. Beaucoup de lianes au-dessus desquelles file un admirable poisson en forme de fuseau crêté, d'un éclat pourpre et feu très métallique. Je le poursuis mais, comme pour me narguer, il accélère son allure tout en fuyant vers le château. Je crains de tomber dans un trou. Sol plus sec. Je lui lance une pierre qui ne l'atteint pas ou qui l'atteint au front. A sa place, c'est maintenant une femme-oiseau qui me renvoie la pierre. Celle-ci tombe dans l'écartement de mes pieds, ce

---

* Ville où habitent mes parents.

qui m'effraie et me fait renoncer à ma poursuite.

Les dépendances du château. Un réfectoire.
C'est qu'en effet nous sommes venus « pour le
haschisch * ». Beaucoup d'autres gens sont là
pour la même raison. Mais voilà, s'agit-il bien
de véritable haschisch? Je commence par en
absorber la valeur de deux cuillerées (un peu
rousses, pas assez vertes à mon gré) dans deux
petits pains ronds et fendus analogues à ceux
qu'on sert pour le petit déjeuner en Allemagne.
Je ne suis pas très fier de la manière dont je me
le suis procuré. Les serviteurs qui m'entourent se
montrent assez ironiques. Le haschisch qu'ils
m'offrent, quoique plus vert, n'a toujours pas
précisément le goût que je connais.

Chez moi, le matin. Chambre semblable à la
mienne mais qui va s'agrandissant. Il fait encore
sombre. De mon lit je distingue dans l'angle
gauche deux petites filles d'environ deux et six
ans, en train de jouer. Je sais que j'ai pris du
haschisch et que leur existence est purement hallucinatoire. *Nues toutes deux elles*
forment un bloc blanc, mouvant, des plus harmo-
nieux. C'est dommage que j'aie dormi,
l'effet du haschisch va sans doute bientôt
cesser. *Je parle aux enfants et les invite à venir*
sur mon lit, ce qu'elles font. Quelle impression
extraordinaire de réalité! Je fais observer

---

* Je n'ai pris en réalité de haschisch qu'une fois, il y a
plusieurs années, en très petite quantité.

à quelqu'un, *qui doit être Paul Éluard*, que je les touche (et en effet je me sens serrer dans la main leur avant-bras près du poignet), que ce n'est plus du tout comme en rêve où la sensation est toujours plus ou moins émoussée, où manque on ne sait quel élément indéfinissable, spécifique de la sensation réelle, où ce n'est jamais parfaitement comme lorsqu'on se pince, se serre « pour de bon ». Ici, par contre, il n'y a aucune différence. C'est la réalité même, la réalité absolue. La plus petite des enfants, qui s'est assise à califourchon sur moi, pèse exactement sur moi de son poids, que j'évalue, qui est bien le sien. Elle existe donc. Je suis, en faisant cette constatation, sous une impression merveilleuse *(la plus forte que j'aie atteinte au rêve). Sexuellement pourtant, je ne prends aucun intérêt à ce qui se passe. Une sensation de chaleur et d'humidité sur la gauche me tire de mes réflexions. C'est l'une des enfants qui a uriné. Elles disparaissent simultanément.*

Entrée de mon père. Le parquet de la pièce est jonché de petites mares presque sèches et seulement encore brillantes sur le bord. Au cas où l'on me ferait une remarque à ce sujet, je songe à accuser les petites filles. Mais à quoi bon si elles n'existent pas, plus exactement si je ne puis rendre compte de leur existence à quelqu'un qui n'a pas pris de haschisch?

Comment justifier l'existence « réelle » de ces mares? *Comment me faire croire? Ma mère, très mécontente, prétend que tout son ameublement a, naguère, été souillé ainsi, par ma faute, à Moret* *. *Je suis de nouveau seul et couché. Tout sujet d'inquiétude a disparu. La découverte de ce château me paraît providentielle. Quel remède contre l'ennui! Je songe, avec ravissement, à l'étonnante netteté de l'image de tout à l'heure. Aussitôt voici les petites filles qui se reforment au même point,* elles prennent vite une intensité terrifiante. Je sens que je deviens fou. Je demande à tue-tête qu'on allume. Personne ne m'entend.

Stekel, cité par Freud, semble avoir été le premier à dégager le sens de l'utilisation du rêve dans le rêve, autrement dit à réduire à sa juste valeur cette opération de l'esprit qui se révèle, à l'analyse, n'avoir d'autre but que d'enlever à une partie du rêve son caractère de réalité trop authentique. Il s'agit, en pareil cas, d'un souvenir réel de nature à entraver l'accomplissement du désir et qui subit une dépréciation nécessaire, destinée à permettre dans les meilleures conditions cet accomplissement. C'est là la négation formelle d'un fait qui a eu lieu, mais qui doit être à tout

---

* Ville où elle n'a jamais habité.

prix surmonté, le produit d'une véritable *dialectisation* de la pensée de rêve qui, pressée d'arriver à ses fins, en est quitte pour briser les derniers cadres logiques. Telle chose qui a été doit être jugée comme si elle n'avait pas été, *elle doit être emportée, au réveil, par l'oubli.* Or, même si l'interprétation à laquelle j'ai pu me livrer du rêve que je viens de relater n'était pas pour l'établir si clairement, il serait aisé de penser que ce rêve, qui se présente comme la contre-partie exacte de ceux dont il vient d'être question, en ce sens qu'y est insérée une partie de rêve considérée comme éminemment irrêvable, a pour objet de faire d'une chose qui n'a pas été — mais qui a été ressentie violemment comme ayant pu être, par suite comme pouvant et devant être — une chose qui a été, qui est donc en tous points possible et qui doit passer, sans heurt, à la vie réelle comme *toute-possibilité*. Je ne crois pas avoir, après tout ce qui vient d'être dit, à mettre le lecteur en garde contre l'idée grossière que la satisfaction cherchée pourrait être ici en rapport direct avec la vue ou le contact de petites filles, celles-ci, au même titre que la « cravate Nosferatu » du premier rêve, ne répondant à aucune réalité objective et ne devant leur intensité remarquable qu'à une détermination particulièrement riche (dans la veille immédiate) et par suite au fait que c'est leur formation qui, dans le rêve, a exigé le plus grand travail de condensation.

Comme on le voit, la querelle ultime que l'on chercherait au matérialisme en lui opposant ces derniers faits que sont le rêve conscient de lui-même, l'insertion d'un rêve conscient dans un rêve non conscient, le rêve qui se donne, avec preuves « palpables », pour réalité vécue, serait aussi vaine que les précédentes. Rien ne pourra faire que l'homme, placé dans des conditions non pathologiques, hésite à reconnaître la réalité extérieure où elle est et à la nier où elle n'est pas. Par opposition à la « cravate » et aux « deux enfants nues », les objets extérieurs qui nous entourent « sont réels en ce que les sensations qu'ils nous ont fait éprouver nous apparaissent comme unies par je ne sais quel ciment indestructible et non par un hasard d'un jour » (Henri Poincaré). On sait que l'auteur de cette proposition ne s'en est pas toujours tenu à des considérations aussi justes et aussi claires. N'empêche que pour cette fois il a été parfaitement bien inspiré de nous fournir, entre les objets réels et tous les autres, cette base de discrimination que nous pouvons tenir, en dernière

analyse, pour nécessaire et suffisante : *le
critérium sensoriel soumis à l'épreuve du temps.*
Il faudrait, pour que ce critérium ne fût
pas valable, que le temps dans le rêve soit
différent du temps dans la veille, et nous
avons vu qu'il n'en était rien. Le « ciment »
apparent qui unit, à l'exclusion de tous les
autres, les objets réels doit donc bien, lui
aussi, être considéré comme réel. Il fait
partie objective du monde extérieur, *le
reflet qu'en a l'homme étant l'habitude,* et c'est
lui seul qui préside, pour ce monde, au
prétendu mystère de son non-effacement.

II

« Une dame que j'avais aimée longtemps et que j'appellerai du nom d'Aurélia, était perdue pour moi. »

Gérard DE NERVAL : *Aurélia.*

Le 5 avril 1931, vers midi, dans un café de la place Blanche où mes amis et moi avons coutume de nous réunir, je venais de conter à Paul Éluard mon rêve de la nuit (le rêve du haschisch) et nous finissions, lui m'aidant, car il m'avait vu vivre le plus grand nombre des heures du jour précédent, de l'interpréter *, lorsque mon regard rencontra celui d'une jeune femme, ou d'une jeune fille, assise en compagnie d'un homme, à quelques pas de nous. Comme elle ne paraissait pas autrement gênée de l'attention que je lui marquais, je la détaillai, de la tête aux pieds, très com-

---

* Ce secours d'un témoin de notre vie de la veille est des plus précieux, non seulement en ce qu'il empêche la censure d'engager l'interprétant sur de fausses pistes, mais encore en ce que la mémoire de ce témoin est de nature à restituer la part des éléments réels la plus riche de signification, puisque c'est celle même qui tendait à être détournée. Pareillement, pour l'interprétation du rêve de la cravate, sans doute n'aurais-je pu tout à fait me passer de la collaboration de Georges Sadoul.

plaisamment, ou peut-être est-ce que d'emblée je ne parvins plus à détacher d'elle mon regard. Elle me souriait maintenant, sans baisser les yeux, ne semblant pas craindre que son compagnon lui en fît grief. Celui-ci, très immobile, très silencieux et dans sa pensée visiblement très éloigné d'elle — il pouvait avoir une quarantaine d'années — me faisait l'impression d'un homme éteint, plus que découragé, vraiment émouvant d'ailleurs. Je le vois encore assez bien : hâve, chauve, voûté, d'aspect très pauvre, l'image même de la négligence. Près de lui, cet être paraissait si éveillé, si gai, si sûr de soi et dans toutes ses manières si provocant que l'idée qu'ils vécussent ensemble donnait presque envie de rire. La jambe parfaite, très volontairement découverte par le croisement bien au-dessus du genou, se balançait vive, lente, plus vive dans le premier pâle rayon de soleil — le plus beau — qui se montrait de l'année. Ses yeux (je n'ai jamais su dire la couleur des yeux; ceux-ci pour moi sont seulement restés des yeux clairs), comment me faire comprendre, étaient de ceux *qu'on ne revoit jamais*. Ils étaient jeunes, directs, avides, sans langueur, sans enfantillage, sans prudence, sans « âme » au sens poétique (religieux) du mot. Des yeux sur lesquels la nuit

devait tomber d'un seul coup. Comme par
un effet de ce tact suprême dont savent
seulement faire preuve les femmes qui en
manquent le plus, et cela en des occasions
d'autant plus rares qu'elles se savent plus
belles, pour atténuer ce qu'il pouvait y
avoir de désolant dans la tenue de l'homme,
elle était, comme on dit, mise elle-même
avec la dernière simplicité. Après tout ce
dénuement, si paradoxal fût-il, pouvait
être réel. J'entrevis sans profondeur un
abîme de misère et d'injustice sociales qui
est, en effet, celui qu'on côtoie chaque jour
dans les pays capitalistes. Puis je songeai
qu'il pouvait s'agir d'artistes de cirque,
d'acrobates, comme il n'est pas rare d'en
voir circuler dans ce quartier. Je suis toujours surpris par ces couples qui, dans
leur assemblage, paraissent échapper aux
modes actuels de sélection : la femme trop
belle manifestement pour l'homme, celui-
ci, pour qui ce fut une nécessité profes-
sionnelle de se l'adjoindre, eu égard à cette
beauté seule, épuisé par son travail propre
plus dur, plus difficile. Cette idée, du
reste, passagère, impossible à retenir, parce
qu'on était le jour de Pâques et que le
boulevard retentissait tout entier du bruit
des cars promenant dans Paris les étrangers en visite. Il ne pouvait, en fin de
compte, s'agir que de gens de passage,

plus précisément d'Allemands, comme je
le vérifiai par la suite. J'étais sûr, en les
voyant partir, que la jeune femme, qui
s'était attardée à regarder derrière elle,
reviendrait le lendemain ou, en cas d'impossibilité, l'un des plus prochains jours.

J'étais mû, pour autant que je sache, à
cette époque, par l'angoisse où me laissait
la disparition d'une femme que je n'appellerai d'aucun nom, pour ne pas la déso-
bliger, sur sa demande. Cette angoisse tenait essentiellement à l'impossibilité où je
me trouvais de faire la part des raisons de
caractère social qui avaient pu nous sépa-
rer, à jamais, comme alors je le savais
déjà. Tantôt ces raisons occupaient tout le
champ de ma connaissance, connaissance
fort embuée d'ailleurs par le manque de
trace objective de cette disparition même,
tantôt, le désespoir l'emportant sur tout
mode valable de considération, je sombrais
dans l'horreur pure et simple de vivre sans
savoir comment encore je pouvais vivre,
comment je pourrais encore vivre. Je n'ai
jamais tant souffert, c'est médiocre à dire,
de l'absence d'un être et de la solitude que
de sa présence ailleurs, où je n'étais pas, et
de ce que je pouvais imaginer malgré tout
de sa joie pour une vétille, de sa tristesse,
de son ennui pour un ciel d'un jour, un

peu trop bas. C'est la brusque impossibilité d'apprécier une à une les réactions de cet être par rapport à la vie extérieure qui m'a toujours le mieux précipité en bas de moi-même. Je ne conçois pas encore aujourd'hui que cela soit tolérable, je ne le concevrai jamais. L'amour, à le considérer du point de vue matérialiste, n'est aucunement une maladie inavouable. Comme l'ont fait observer Marx et Engels *(La Sainte Famille)*, ce n'est pas parce qu'il décourage la spéculation critique, incapable de lui assigner *a priori* une origine et un but, ce n'est pas parce que l'amour, pour l'abstraction, « n'a pas de passeport dialectique » (au mauvais sens de ce mot) qu'il peut être banni comme puéril ou comme dangereux. « Ce que la critique attaque ici, ajoutent Marx et Engels, ce n'est pas seulement l'amour, c'est tout ce qui est vivant, tout ce qui tombe directement sous les sens et est du domaine de l'expérience sensible, c'est en somme toute l'expérience matérielle dont on ne peut jamais établir à l'avance ni l'origine ni le but. » J'étais, dis-je, dans l'état d'un homme qui, croyant avoir tout fait pour conjurer le sort contraire à l'amour, devait se rendre à cette évidence que l'être qui lui avait été longtemps le plus nécessaire s'était retiré, que l'objet même qui, pour lui, avait été *la pierre angulaire du monde matériel* était perdu. Tour à tour j'avais considéré cet objet dans son manque d'équilibre social assez particulier, je m'étais considéré dans le mien. Cela n'avait abouti qu'à me confirmer dans l'opinion que seul un changement social radical, dont l'effet serait de supprimer, avec la production capitaliste, les conditions de propriété qui lui sont propres, parviendrait à faire triompher, sur le plan de la vie réelle, l'amour réciproque puisque tant est que cet amour, de par sa nature, « a un certain degré de durée et d'intensité qui fait considérer aux deux parties la non-possession et la séparation comme un grand malheur, sinon le plus grand de tous » (Engels : *L'Origine de la Famille*) et que cependant il lui arrive de buter misérablement, en cas de préparation insuffisante de ces parties, sur des considérations économiques d'autant plus agissantes qu'elles sont quelquefois refoulées. De telles idées ne m'étaient, à vrai dire, d'aucun réconfort appréciable ; elles n'offraient, à la douleur que je pouvais éprouver alors, qu'un très faible dérivatif. Autre chose était, comme de sentir à chaque seconde le sol se dérober sous les pieds, le fait de constater qu'un objet essentiel, bien extérieur celui-là, s'était soustrait à mes sens, entraînant pour moi et,

comme je le savais, pour moi seul, avec
lui tous les autres, jetant un doute si im-
placable sur la solidité de tous les autres
que ma pensée ne les retenait plus, n'y
tenait plus, les rejetait non seulement
comme secondaires, mais comme aléa-
toires. Oui, la partie était perdue, bien
perdue : ne me restait plus même, dans les
conditions où elle se dénouait, l'orgueil de
l'avoir jouée. Sous mes yeux les arbres, les
livres, les gens flottaient, un couteau dans
le cœur.

(Je ne suis, en pareille circonstance, pas
très capable de recourir aux enivrements
vulgaires. Il me semble que j'y prendrais
vite une idée de moi peu compatible avec
la continuation de ma vie même. Je déteste le monde et ses distractions. Il ne
m'est *jamais* arrivé de coucher avec une
prostituée, ce qui tient, d'une part, à ce
que je n'ai jamais aimé — et à ce que je ne
crois pas pouvoir aimer — une prostituée;
d'autre part, à ce que je supporte fort bien
la chasteté, quand je n'aime pas. Mais il
me paraîtrait indigne par-dessus tout de
vouloir chasser l'image d'un être aimé par
celle d'un être ou de plusieurs êtres non
aimés. Je persiste à tenir les opérations de
l'amour pour les plus graves : outre les
conséquences sociales que je ne me cache
jamais qu'elles peuvent avoir, je n'ai garde

d'oublier que, toujours du même point de vue matérialiste, « c'est sa propre essence que chacun cherche chez autrui » (Engels). Pour qu'il en soit ainsi, il me paraît falloir que le mot *autrui*, dans cette phrase, soit limitatif d'une foule d'êtres et, en particulier, de tous ceux qui, pour l'individu considéré, pourraient être causes passagèrement de distraction ou de plaisir. Afin d'éviter toute confusion, je tiens à ajouter que je ne formule ici aucun principe général, je ne me propose que d'aider à l'intelligibilité de ce qui précède et de ce qui va suivre : je ne puis le faire sans parler de moi.)

Cependant je retournais, le plus sciemment du monde, au désordre. Quand les pensées amères qui venaient chaque matin m'assaillir s'étaient lassées de tourner dans ma tête comme des écureuils brûlés, l'automatisme sentimental, sexuel, tentait plus ou moins vainement de faire valoir ses droits. Je me retrouvais hagard devant cette balance sans fléau mais toujours étincelante, devant cette balance ivre : aimer, être aimé. La tentation absurde, mais immédiate, de substituer à l'objet extérieur manquant un autre objet extérieur qui comblât, dans une certaine mesure, le vide qu'avait laissé le premier, cette tentation se faisait place violemment à certaines heures, entraînant de ma part un commencement d'action. D'autre part, je m'étais pris à songer que l'erreur initiale que j'avais pu commettre, et que je payais à ce moment d'un détachement de moi si cruel, résidait dans la sous-estimation du besoin de bien-être matériel qui peut exister naturellement, et presque à son insu, chez une femme oisive qui par elle-même ne dispose pas des moyens de s'assurer ce bien-être, d'un certain progrès en ce sens qu'elle peut tenir à réaliser au cours de sa vie. Il fallait bien reconnaître que de ce côté je n'avais jamais été capable que de la décevoir, de la desservir. Par un assez curieux réflexe moral — je m'aperçois que je n'étais pas loin d'y attacher un sens de réparation, du caractère humain le plus général — je m'étais tout à coup figuré que je ne devais plus accueillir près de moi, si l'avenir le permettait, qu'un être particulièrement dénué de ressources, particulièrement asservi par la société — pourvu que sa dignité n'en eût aucunement souffert — et qu'il serait, du moins, en mon pouvoir d'aider à vivre quelque temps : le temps que je parviendrais à vivre moi-même. Rien ne dit qu'une femme charmante et estimable, si elle eût pu alors être avertie de mes dispositions, n'eût pas consenti à partager avec moi ce que j'avais.

J'en étais parfois à déplorer de ne pouvoir
faire passer une annonce dans quelques
journal idéal. Faute de me le permettre, je
me représentais, je dois dire, avec zèle,
les incroyables difficultés qu'un homme
peut avoir à connaître une femme de qui,
à la voir passer dans la rue, il augure
quelque bien. L'hypocrisie sociale, la défense sur le pied de laquelle maintiennent
les femmes les avances d'un trop grand
nombre de goujats, les méprises toujours
possibles sur la qualification intellectuelle
et morale des promeneuses, ne sont pas
pour faire de cette entreprise, dans les plus
mauvais moments, un passe-temps bien
recommandable. Une chose me paraît
pourtant — que ceci soit ou non de nature
à révolter divers bons apôtres — moins capable qu'une autre de rompre le charme
sous lequel a pu vous laisser *une* femme
aimée, qui est partie, *tout le charme*, qui est
celui de la vie même, et cette chose est la
personne collective de *la* femme, telle
qu'elle se forme, par exemple, au cours
d'une promenade solitaire un peu prolongée, dans une grande ville. Le blond fait
étrangement valoir le brun, et inversement. Les très belles fourrures s'exaltent et
exaltent avec elles les misérables fichus. Il
y a, dans le mystère toujours assiégeant
des variétés de corps qui se laissent devi-

ner, de quoi partiellement soutenir l'idée que tout n'est pas perdu, puisque la séduction y met encore, de tous côtés, tant du sien. Cette femme qui passe, où va-t-elle ? A quoi rêve-t-elle ? De quoi pourrait-elle être si fière, si coquette, si humble ? Les mêmes questions se reposent pour une autre, avant même que celle-ci soit passée. Un grand bruit se fait, bruit vivant, bruit clair, bruit de construction et non d'effondrement, qui est celui de l'effort humain se cherchant unanimement une justification non pas hors de l'être humain mais à la fois en lui-même et en un autre. Quelle beauté en cela, quelle valeur, quelle netteté malgré tout ! La femme de Paris, cette créature composite faite journellement de toutes les images qui viennent se mêler dans les glaces du dehors, comme elle est défavorable aux pensées repliées sur elles-mêmes, comme elle chante, comme elle est confondante dans la solitude et dans le malheur ! Que tout à coup l'être immédiat le plus sensible me manque, la seule chance que j'aie de le redécouvrir (celui-là qui peut être devenu un autre, ou celui-là), de le redécouvrir, le connaissant cette fois dans sa réalité, est entre temps d'avoir pu réaliser cette opération capitale de l'esprit qui consiste à aller de l'être à l'essence. En cela doit consister tout le secret des poètes, qui passent pour trouver leurs accents les plus pathétiques dans le désespoir. En aucun domaine la loi de la négation et de la négation de la négation ne parvient à se vérifier d'une manière plus frappante. A ce prix est la vie.

Il est naturel que l'être immédiat objet de l'amour une fois disparu, ce détour par l'essence, dans la mesure où il se prolonge inutilement et cela faute pour l'esprit de possibilité de retour à l'être, favorise un certain nombre d'attitudes inhumaines et engendre de fausses démarches. Je m'explique. Selon toutes probabilités, l'amour, soumis chez un être au rythme général de son évolution, tend à se perfectionner philosophiquement, comme le reste. Il se peut que je découvre plus tard la raison profonde, qui m'échappe encore, de cette incompatibilité finalement déclarée entre moi et ce que j'avais voulu le plus près de moi, et selon toute vraisemblance j'apercevrai alors qu'en effet, d'un être immédiat, comme appris par cœur, je n'avais pas su faire pleinement pour moi un être réel. Sans doute n'aurai-je pas réussi à être bien réel pour cet être non plus. Mais, cette déduction faite, comment ne pas espérer un jour être plus heureux ou, à défaut, comment ne pas vouloir qu'un homme, qui aura lu ces lignes, soit, un peu à cause

d'elles, moins malheureux que moi? Il
n'est pas impossible, dis-je, que j'acquière
à mes dépens le pouvoir de considérer un
autre être comme réel, ou de faire considérer un autre être comme réel, par quelqu'un qui l'aimera. Tant mieux si mon
témoignage aide cet homme à se défaire,
comme je veux m'en être défait, de toute
attache idéaliste. Il en sera quitte pour
errer moins que je n'aurai erré à travers
ces sombres rues. Si l'on est exposé, dans
des circonstances de l'ordre de celles que
j'ai décrites, à un désaxement moral plus
ou moins complet, c'est, il faut bien le dire,
que les moyens de connaissance qui sont
propres à l'amour survivant à la perte de
l'objet aimé, ces moyens devenus sans application tendent impatiemment, de toutes
leurs forces, à se réappliquer. Ils tendent à
se réappliquer parce que la position purement spéculative qui soudain a été faite à
l'homme se révèle intenable. Le voici
brusquement aux prises avec un monde
où tout est indéterminé. Comment évitera-
t-il cette fois de se tromper et de tromper
quelqu'un d'autre sur lui-même? Déterminera-t-il? Il est brisé, confondu, faible,
ébloui. Ne déterminera-t-il pas?

Pour vivre, il faut qu'il détermine. Il
faut qu'il se remette à préférer çà et là.
De très beaux yeux, comme ceux de cette

jeune Allemande, peuvent tout de même
être une oasis. (J'ai omis de dire que je n'en
étais pas au lendemain du jour où m'était
apparu avec certitude le caractère irrémé-
diable de la situation qui m'était faite par
rapport à la femme que j'aimais. Il s'en
fallait même de plusieurs mois, durant lesquels j'avais épuisé toutes les façons de me
voir aller et venir dans une impasse. Pour
tromper cet automatisme exigeant dont
j'ai fait mention plus haut, j'en étais même
arrivé certain soir à parier avec des amis
que j'adresserais la parole à dix femmes
d'apparence « honnête » entre le faubourg
Poissonnière et l'Opéra. Je ne m'accordais
pas même la permission de les choisir.
C'était pour surprendre leur premier mouvement, pour entendre leur voix. Je n'allai
pas au delà de la huitième et, sur ce
nombre, il ne s'en trouva qu'une, fort peu
attirante d'ailleurs, pour ne pas vouloir me
répondre. Cinq des autres voulurent bien
accepter de prendre avec moi rendez-vous.
Je déteste, cela va sans dire, cette sorte
d'activité, mais je lui trouve une excuse en
la circonstance : dans l'inconnu où je me
débattais, c'était beaucoup pour moi de
faire se tourner vers moi ces inconnues.
Une autre fois je me promenai tenant à la
main une très belle rose rouge que je des-
tinais à une de ces dames de hasard mais,

comme je les assurais que je n'attendais d'elles rien d'autre que de pouvoir leur offrir cette fleur, j'eus toutes les peines à en trouver une qui voulût bien l'accepter.

La jeune femme du 5 avril, que je me reprochais cruellement de n'avoir pas suivie, reparut dans les environs du café deux ou trois fois. Je n'avais pour ainsi dire pas cessé de la guetter, dans l'espoir de la trouver seule et de pouvoir lui remettre une carte, sur laquelle j'avais écrit ces mots, après les avoir fait traduire à son intention : « Je ne pense plus qu'à vous. Je souhaite follement vous connaître. Ce Monsieur est peut-être votre frère ? Si vous n'êtes pas mariée, je demande votre main.» Suivaient la signature et : « Je vous en supplie. » Cette carte, je n'eus pas la moindre occasion de la lui faire tenir. Jusqu'au surlendemain, jour à partir duquel je ne la revis plus, elle ne se présenta en effet à moi qu'accompagnée de la personne du premier jour mais celle-ci d'instant en instant plus manifestement hostile à son manège, toujours le même, et au mien. Je tentai l'impossible pour me procurer son adresse mais les précautions incessantes qu'on prenait, bien malgré elle, pour que celle-ci me restât cachée, se montrèrent suffisamment opérantes.

Que voilà donc un récit qui tourne

court! Un personnage n'est pas plus tôt donné qu'on l'abandonne pour un autre, — et, qui sait même, pour un autre? À quoi bon, dès lors, ces frais d'exposition? Mais l'auteur, qui paraissait avoir entrepris de nous livrer quelque chose de sa vie, parle comme dans un rêve! — *Comme dans un rêve.*

Le 12 avril, vers six heures du soir, je me promenais avec mon chien Melmoth sur les boulevards extérieurs quand, à la hauteur de la Gaîté Rochechouart devant laquelle m'avait immobilisé l'affiche de *Péché de Juive*, je découvris près de moi une jeune fille dont l'attention semblait non moins vivement éveillée par cette affiche. Trop occupée pour prendre garde à moi, elle me laissait tout loisir de la contempler. Rien de plus charmant, de moins abrégeable au monde que cette contemplation. Très apparemment pauvre, comme il le fallait sans doute à cette époque de ma vie, je l'ai dit, pour que toute l'émotion dont je suis capable à la vue d'une femme entrât en jeu, elle pouvait faire évoquer à la première seconde celle pour qui Charles Cros, à la fin de son plus beau poème : *Liberté*, n'a pu trouver que ces mots insuffisants et merveilleux :

Amie éclatante et brune

ou encore celle dont elle avait les yeux
mais oui, les yeux qui depuis quinze ans
n'ont pas cessé d'exercer sur moi leur fas-
cination, la *Dalila* de la petite aquarelle de
Gustave Moreau que je suis allé si souvent revoir au Luxembourg. Aux lumières,
ces yeux, si j'en appelle à une comparaison à la fois plus lointaine et plus exacte,
me firent aussitôt penser à la chute, sur de
l'eau non troublée, d'une goutte d'eau
imperceptiblement teintée de ciel, mais de
ciel d'orage. C'était comme si cette goutte
se fût indéfiniment maintenue à l'instant
où une goutte touche l'eau, juste avant
celui où, au ralenti, on pourrait la voir s'y
fondre. Cette impossibilité, réfléchie dans
un œil, était à damner les aigues, les éme-
raudes. Dans l'ombre, comme je l'ai vu
par la suite, on pouvait s'en faire l'idée
d'un effleurement continu, et pourtant
sans cesse recommencé, de cette même eau
par une très fine pointe retenant un soup-
çon d'encre de Chine. Tout, de la grâce de
cette personne, était le contraire de pré-
médité. Elle était vêtue de choses d'un
noir lamentable qui ne lui allaient encore
que trop bien. Il y avait dans son allure,
maintenant qu'elle flânait le long des bou-
tiques, je ne sais quoi de si aveuglant et
de si grave, parce que parfaitement ignoré
d'elle, que cela ne pouvait que rappeler,

dans sa loi que nous cherchons patiemment à entrevoir, la grande nécessité *physique* naturelle tout en faisant plus tendrement songer à la nonchalance de certaines hautes fleurs qui commencent à éclore. Elle n'eut ainsi longtemps qu'à passer pour décourager de son silence pas même hostile l'assaut de courtoisie et de discourtoisie auquel, en pareil lieu, un dimanche soir, toute sa personne l'exposait. J'observai avec émotion comme nul auprès d'elle n'insistait. Chacun de ceux qui, sans même l'avoir vue, se risquaient à l'entreprendre en était pour ses compliments, ses gaudrioles. Ils s'éloignaient tous aussitôt, d'un air absent, s'accordant tout juste le droit de se retourner sur elle pour estimer d'un regard le charme de la taille et ce que le bas de fil laissait entendre, irréprochablement, du mollet. J'hésitai longtemps à me rapprocher d'elle, non que ces divers exemples malheureux fussent pour m'en dissuader, mais c'est à peine si l'on m'avait vu et pour un peu je me serais accommodé, ce jour-là, de la seule certitude de l'existence d'une telle femme. Il fallut, pour que je m'y résolusse, que, revenant brusquement sur ses pas, elle s'engageât sur le trottoir désert qui longe, après le passage du boulevard Magenta, l'hôpital Lariboisière. Je dis aujourd'hui : Lariboisière, mais je me rappelle qu'alors j'avais vainement cherché à mettre un nom sur l'établissement que bordent ces longs murs sombres, couverts de place en place d'affiches déchirées. Je n'ignore cependant pas la situation de cet hôpital, mais, sur la foi d'une inscription lue inconsciemment qui n'en désigne qu'un service particulier, j'étais disposé à croire que c'était plutôt la Maternité (dont l'emplacement exact m'est aussi connu depuis longtemps). Cette confusion, très semblable à celles qui peuvent se produire en rêve, témoigne, selon moi, de la reconnaissance de la merveilleuse *mère* qui était en puissance chez cette jeune femme. Ainsi se réalisait, comme on voit, mon plus impérieux désir d'alors, celui sinon de ne pas mourir, du moins de me survivre en ce qu'avant de mourir j'avais pu considérer comme admirable et comme viable. Je sais que l'effacement de l'hôpital Lariboisière pouvait, d'autre part, tenir au fait qu'à apercevoir tout d'abord cette personne éminemment désirable, je n'avais pu m'empêcher de me demander vaguement ce qu'elle pouvait bien faire là, à cette heure, d'en concevoir quelque doute, vivement combattu par la suite, sur sa moralité et, corrélativement, sur sa santé. Aux premières paroles que je lui adressai, elle répondit sans embarras

(j'étais beaucoup trop ému pour me faire
une idée nouvelle de ses yeux fixés sur moi)
et me fit même la grâce de paraître trouver
un peu inattendu ce que je lui disais. Mon
émerveillement, je le dis sans crainte de
ridicule, mon émerveillement ne connut
plus de bornes quand elle daigna m'inviter
à l'accompagner jusqu'à une charcuterie
voisine, où elle voulait faire l'emplette de
cornichons. Elle m'expliqua, à ce propos,
qu'elle allait dîner, comme chaque jour,
avec sa mère et que toutes deux ne sa-
vaient apprécier un repas qu'ainsi agré-
menté. Je me revois devant la charcuterie,
réconcilié tout à coup par impossible avec
la vie de tous les jours. Bien sûr, il est bon,
il est supérieurement agréable de manger,
avec quelqu'un qui ne vous soit pas tout
à fait indifférent, des cornichons, par
exemple. Il fallait bien que ce mot fût ici
prononcé. La vie est faite aussi de ces
petits usages, elle est fonction de ces goûts
minimes qu'on a, qu'on n'a pas. Ces cornichons m'ont tenu lieu de providence, un
certain jour. Je sais que ces considérations
ne seront pas pour plaire à tout le monde,
mais je m'assure qu'elles n'eussent pas dé-
plu à Feuerbach, ce qui me suffit. (J'aime
beaucoup, d'autre part, les écrivains naturalistes : pessimisme à part — ils sont
vraiment trop pessimistes — j'estime que

seuls ils ont su tirer parti d'une situation telle que celle-là. Je les trouve, en
moyenne, beaucoup plus poètes que les
symbolistes qui, à la même époque, s'effor-
çaient d'abrutir le public de leurs élucu-
brations plus ou moins rythmées : Zola
n'était vraiment pas mauvais comme reins ;
les Goncourt, dont on tend de plus en plus
à nous représenter seulement les tics into-
lérables, n'étaient pas incapables de voir,
de palper ; Huysmans, entre tous, avant de
sombrer dans la boueuse inanité d'*En
route*, n'avait pas cessé d'être très grand et
l'on serait fondé à donner pour modèle
d'*honnêteté* aux écrivains d'aujourd'hui les
livres de moins en moins lus de Robert
Caze, malgré tous leurs défauts. Seul Al-
phonse Daudet, véritable porte-parole de
la petite bourgeoisie de son époque, s'était
en tous points défini avec elle comme être
vil, répugnant, méprisable. Je persiste à
croire que, talent à part, j'y reviendrai,
ces écrivains se sont d'ailleurs trompés du
tout au tout.) Les cornichons sont maintenant dans le papier, on va pouvoir partir. Le temps ne m'a jamais paru moins
long. Pour moi, de nouveau, il n'y a plus
personne sur le boulevard, tant j'écoute,
tant j'attends que de ces lèvres toute
riantes tombe l'arrêt imprévisible qui fera
que je vivrai ou qu'à nouveau je ne saurai

plus comment vivre demain. J'apprends de
cette jeune fille qu'elle est danseuse, que
par extraordinaire elle aime son métier,
qu'elle vit là — on traverse la place de la
Chapelle — chez ses parents, tout près.
Je m'enchante de la trouver confiante, at-
tentive, quoique apparemment peu curieuse de moi, ce qui m'épargne d'entrer,
comme en retour de cette attention et de
cette confiance je ne saurais éviter de le
faire, dans des détails affligeants à mon
sujet. En prenant congé de moi, elle m'accorde, sans se faire prier, un rendez-vous
pour le lendemain.

J'ai eu depuis lors plusieurs fois l'occasion de revoir la façade délabrée et toute
enfumée de la maison de la rue Pajol, par
la porte de laquelle j'avais vu disparaître
cette amie d'un soir — qui ne devait jamais
m'être plus amie. Cette façade est telle
que je n'en connais pas de plus attristante.
Comment un être physiquement si excep-
tionnel peut-il, en s'en amusant, demeurer
plusieurs heures du jour au fond de cette
cour, derrière ces rideaux gris ? Comment
peut-il traverser sans dommage, plusieurs
fois par jour, l'abominable et en même
temps très étonnant carrefour de la Chapelle où des femmes, toutes pareilles à de
vieilles outres, somment encore, en se dé-
poitraillant, le passant de leur « payer un

litre » ? Ceci n'était d'ailleurs déjà plus qu'un aspect accessoire du problème. Il eût dû me suffire si j'ai dit vrai, pensera-t-on, d'avoir renoué contact avec la vie extérieure et cela par la grâce de cet être sans pour cela attendre de lui plus qu'il ne m'avait donné. Mais allez donc compter avec l'espérance ! Je ne doutais pas que la belle promeneuse du dimanche reviendrait le lendemain, comme elle avait dit, et j'avoue que je m'affolai en ne la voyant pas. Cet affolement était, d'ailleurs, en tout préférable à ce dont son apparition m'avait tiré. La vie avait pour moi repris un sens et même le meilleur sens qu'elle pût avoir. J'en fus quitte pour m'informer, rue Pajol, de son nom, de manière à lui faire parvenir une lettre. Ne recevant pas de réponse, je passai plusieurs après-midi consécutives à m'ennuyer d'elle, mais seulement d'elle, dans le petit square de la place qu'elle devait contourner chaque jour pour sortir et pour rentrer, mais je ne réussis pas à l'apercevoir. Cette absence volontairement prolongée aboutit, comme il fallait s'y attendre pour moi, à une idéalisation complète, d'une force telle que je n'osai plus me porter à sa rencontre de peur de ne pas la reconnaître. J'avais en effet, tout oublié de sa silhouette, de son maintien et, pour peu que ses yeux fussent

baissés, je ne me sentais pas capable de
l'identifier à trois pas. Je ne lui en de-
meurais que plus reconnaissant de ne
pas m'avoir éconduit brusquement le dimanche et même cette reconnaissance, en
moi, ne tarda pas à prendre un tour légèrement emphatique, assez singulier. Sans,
bien sûr, m'attendre à forcer par là la résistance qu'elle me montrait, je songeai à
l'étourdir de menus présents que leur caractère désintéressé même faisait très spé-
cialement valoir à mes yeux. C'est ainsi
que je lui fis porter une grande azalée en
pot que j'avais choisie pour sa couleur rose
et dont je ne me lassais pas d'imaginer
l'entrée théâtrale dans la cour noire et
l'escalier vraisemblablement sordide de sa
maison. Une carte de visite très laconique
m'en remercia. Quelques jours plus tard,
une immense poupée habillée en fée prit
le même chemin que la fleur, mais, cette
fois, je n'avais pas eu le courage de la laisser partir sans une lettre. Ce dernier envoi
me valut l'acceptation d'un rendez-vous
que je sollicitais. Je lui dus aussi de comprendre, au cours de l'entretien qui en
résulta le matin du dimanche 19 et où il
fut surtout question, comme je laissais
parler, de menus incidents professionnels
et d'amusements innocents pris à la petite
correspondance des journaux galants, que

je ne pouvais rien avoir de commun avec cette enfant qui avait seize ans et à qui, dans mon trouble, j'en avais donné vingt. Ce fut elle qui décida pourtant avec moi d'en rester là, en oubliant qu'elle s'était offerte à me revoir le surlendemain. Il était donc vrai qu'elle n'avait à se trouver sur ma route que ce premier dimanche. Je lui sais encore un gré infini de s'y être trouvée. Maintenant que je ne la cherche plus, il m'arrive de la rencontrer quelquefois. Elle a toujours les yeux aussi beaux, mais il faut bien reconnaître qu'elle a perdu pour moi son prestige. Comme pour que rien ne subsiste entre elle et moi des mots d'importance sans doute trop inégale que nous avons pu échanger, quand elle passe près de moi elle détourne assez inexplicablement la tête pour ne pas avoir à répondre à un salut éventuel.

Ce ravissant visage s'était d'ailleurs à peine caché que la sorte de flotteur merveilleux qu'avaient été pour moi les yeux du 5 et du 12 avril reparaissait encore une fois à la surface. Il faut reconnaître que pourtant l'image féminine tendait avec lui à se dégrader. Je vais y venir. Au préalable, puisque ceci conduira au mardi 21 avril, il me paraît nécessaire de donner idée de mes dispositions générales du lundi.

De nouveau, la pensée de ma solitude

personnelle m'occupait tout entier. Ces
deux femmes qui venaient de se profiler en
trompe-l'œil, bien qu'elles eussent eu le
pouvoir de m'arracher à une obsession
intolérable, qui n'était rien moins que
celle d'abolir ce qui ne pouvait être aboli :
tout ce qui *avait été* contraire à la réalisation du désir engageant, sans solution possible de continuité, la durée même de ma
vie, me faisaient sous une autre forme res-
sortir la vanité de cette vie, la mienne, qui
était décidément inassociable à une autre.
A quelque temps de là, je m'étais pris, un
dimanche, sur les bords de la Marne, à
envier ces gens qui travaillent une semaine
pour aller s'ébattre un jour sur un angle
de verdure, à supposer qu'il fasse beau. Je
me représentais sans la moindre ironie
tout ce qui peut exister d'indissoluble, de
facile entre eux. Deux par deux, ils s'étaient
choisis, un jour, à la diable et il n'avait
plus été question qu'ils pussent se quitter.
Nulle arrière-pensée, pour finir, de part et
d'autre. Les événements du jour étaient
une histoire d'atelier, de bureau, une jolie
étoffe, un projet de promenade, un film.
On habillait et on déshabillait les enfants
charmants, affreux. Sans doute il y avait
bien quelque anicroche à déplorer çà et là,
mais la vie s'y retrouvait en moyenne. Elle
s'étalait massive, petitement productive,

Pl. 5. — DALILA. *(Page 103)*.

Pl. 6. — Le vaticinateur. *(Page 68)*.

mais du moins *indiscutée*. Et tout cela se
jetait sous mes yeux dans l'eau de la
Marne, en ressortait à plaisir, reprenait
des forces pour continuer. Le besoin de
comprendre un peu le monde, le souci de
se différencier des autres hommes, l'espoir
d'aider à la résolution d'une chose non
résolue, tout ce facteur agitant à la fois et
décevant s'était abstenu une fois pour
toutes d'entrer en ligne de compte. C'est
tout de même pour ces gens qu'il y a des
fraises dans les bois! Bien sûr, il était trop
tard pour tenter de m'adapter à leur sort,
mais comment ne pas admettre qu'ils
étaient favorisés, jusqu'à un certain point?
Parmi eux, il devait y avoir aussi des épiciers, épiciers de lettres, de sciences notamment qui, à vrai dire, me gâchaient bien
un peu les autres, mais si peu! Et Paris
allait enfourner cela le soir, stupidement,
après l'avoir tourné dans la farine de ses
lumières. C'était bien beau. Pour moi,
tout allait différemment, je répète que
j'étais seul. Je considérais cette activité que
j'avais pu avoir avant de me trouver ainsi
anéanti. Cela valait-il même la peine d'y
avoir touché? Quelle suffisance ne faut-il
pas pour penser de soi, sur le plan intellectuel, qu'on aura fait quelque chose! Les
grands philosophes, les grands poètes, les
grands révolutionnaires, les grands amou-

reux : je sais. Mais si l'on n'est pas sûr
d'atteindre jamais à cette grandeur, comment faire pour être simplement *un homme* ?
Comment justifier de la place qu'on occupe
devant le manger, le boire, le revêtir, le
dormir ? Qu'ils sont quittes malgré tout à
bon compte de cette inquiétude, ceux qui
labourent et ensemencent la terre, ceux
qui pourraient brandir à la moindre question et qui brandiront bientôt, partout, les
outils de fer ! — Nous en étions, mes amis
et moi, à cette époque, à nous concerter
sur les moyens de mener une action spécifiquement antireligieuse et il faut bien dire
que nous en étions réduits, à la suite de
quelques malentendus intéressant, à vrai
dire, plutôt le jeu des caractères que celui
des idées, à ne pouvoir envisager d'autre
action commune que celle-là. Je pense
qu'un historien aura plus tard intérêt à
savoir que pour nous alors il pouvait en
être ainsi. On recherchera et je suppose
que l'on trouvera les raisons vitales qui,
initialement, nous auront fait préférer, à
quelques-uns, agir ensemble que distinc-
tement les uns des autres, quand cela eût
abouti à la confection de divers papiers qui
n'avaient en réalité l'agrément d'aucun
d'entre nous. Quelque chose au moins, je
crois déjà pouvoir le dire, aura ainsi passé
d'une volonté qui fût restée velléitaire sans

cela. Ce minimum de dépendance librement acceptée aura eu aussi cet effet de
reléguer au second plan de nos préoccupations ce qui n'était que brillant, qu'accessoire, puisque plus particulièrement propre
à tel ou tel d'entre nous. A défaut de la
discipline de classe, une discipline. Pour
faire mieux, il eût fallu que la contrainte
sociale sur nous fût moins dure, mais elle
était, dans sa douceur... à nous faire regretter les beaux temps de l'Encyclopédie.
Quelle inclémence de toutes parts! Un
public, pour qui l'on parle et dont on aurait tout à apprendre pour continuer à
parler, qui n'écoute pas; un autre public,
indifférent ou fâcheux, qui écoute. Mais
comment en allait-il donc en France, au
xviiie siècle? Dans les mauvais moments,
on se dit que c'est très grave, dans les
autres que ce l'est moins. En avril 1931,
par exemple, cela pouvait être tenu par
moi pour très grave. Restait à savoir, entre
autres choses, si les moyens définis pour
nôtres pouvaient réellement être mis tout
entiers au service d'une cause telle que la
cause antireligieuse, si intéressante fût-
elle. Rien, à la réflexion, n'était moins sûr.
De notre part, il n'y avait rien là de
tout à fait justifiable que de l'extérieur.
Nous limiter systématiquement, comme
cela avait été proposé, à une activité sem-

blable, n'était-ce pas émanciper gratuitement, par réaction, les diverses volontés de
singularisation qui, jusque là, avaient
trouvé à se contenir dans la poésie, dans la
peinture et, d'une manière générale, dans
les formes variables de l'expression surréaliste ? En ce qui me concerne, je m'ef-
frayais de voir tout ce que, de ma vie et de
mes aspirations personnelles, un tel projet
laissait de côté. Le surréalisme, tel qu'à
plusieurs nous l'aurons conçu durant des
années, n'aura dû d'être considéré comme
existant qu'à la non-spécialisation *a priori*
de son effort. Je souhaite qu'il passe pour
n'avoir tenté rien de mieux que de jeter
un *fil conducteur* entre les mondes par trop
dissociés de la veille et du sommeil, de la
réalité extérieure et intérieure, de la raison et de la folie, du calme de la connaissance et de l'amour, de la vie pour la vie
et de la révolution, etc. Du moins aura-
t-on cherché, mal cherché peut-être mais
cherché, à ne laisser aucune question sans
réponse et aura-t-on tenu quelque peu à
la cohérence des réponses qu'on fournissait. A supposer que ce terrain eût été le
nôtre, mériterait-il vraiment qu'on l'aban-
donnât ? Un révolutionnaire rêve comme
un autre homme, il lui arrive quelquefois
de s'occuper de lui seul, il sait que de sage
on peut devenir fou, une femme belle

n'étant pas moins belle pour lui que pour un autre, il peut être malheureux à cause d'elle et l'aimer. On souhaiterait qu'à tous ces égards il nous fît connaître son comportement. Dans la mesure où nous avons pu le supputer — et encore une fois le surréalisme ne s'est attaché à rien autre — j'espère que nous n'avons pas fait faire un faux pas à la connaissance de l'univers et de l'homme, que bien plutôt, en nous appliquant à mettre ce révolutionnaire d'accord en tous points avec lui-même, nous n'avons pu entreprendre que de le grandir. Qu'en chemin des erreurs aient été commises, ce n'est pas moi qui le nierai et peut-être même serait-il temps de dénombrer ces erreurs. Mais je veux croire que seule notre évolution générale, fonction comme elle est, ce qui la complique, de diverses évolutions particulières, sera de nature à donner à ce que nous aurons pu entreprendre ensemble sa véritable signification. C'est alors seulement qu'on verra si nous avons su à notre tour, et de l'angle où, dé par nos aptitudes propres, nous nous trouvions placés, dégager la *perle* que d'autres, pour reprendre encore une parole de Lénine, ne surent pas extraire du « fumier de l'idéalisme absolu ».

Pour en revenir à moi-même, je n'arrivais pas alors, comme je le conçois mieux aujourd'hui, à me satisfaire de ce projet lourd de restrictions. Une foule d'idées, de représentations antagonistes venaient m'assiéger au moment même où, du moins « pour faire quelque chose », j'étais prêt à lui donner mon adhésion. On m'accordera que de ma part ce ne pouvait être là tiédeur à l'égard de l'action envisagée. Jamais, en effet, je n'ai cessé de considérer celle-ci comme des plus nécessaires et des plus urgentes et je pense encore qu'il n'appartient à personne plus qu'à nous de la mener. Simplement, je ne pouvais me résigner à voir en elle se résoudre très épisodiquement et se confondre tout ce de quoi pouvait être faite notre expérience antérieure. Je n'avais pas le sentiment qu'il en pût résulter pour moi, non plus d'ailleurs que pour aucun d'entre nous, la satisfaction vitale que nous cherchons dans le fait de nous exprimer. C'est à dessein que j'appuie ainsi sur le manque de déterminations intellectuelles où, du fait même de cette proposition, je me trouvais alors. A quoi bon, de ce côté encore, ce que j'avais pu croire juste, efficace ? Il eût mieux valu (c'était du moins ce que mon découragement personnel me suggérait) n'avoir jamais rien engagé, rien dit. Voilà qu'il était tout à coup question de bifurquer.

Que je me tournasse de ce côté ou de

l'autre, la solitude était la même. Le
monde extérieur avait repris son apparence de pur décor. Ce jour-là, je m'étais
d'abord promené sans but sur les quais, ce
qui m'avait conduit à regretter de ne pouvoir m'offrir, en raison de son prix trop
élevé, l'*Ars Magna* de Raymond Lulle, que
je savais trouver dans un magasin de la
rive gauche. Puis l'idée de la petite artère
noire, comme sectionnée, que devait être
ce jour-là la rue Gît-le-Cœur m'avait fait
abandonner ce quartier pour le quartier
Saint-Augustin où j'espérais découvrir,
chez un autre libraire, quelque rare ro-
man terrifiant, parent de ceux de Lewis ou
de Maturin, que je n'eusse pas encore lu.
Je recherchais particulièrement *Le Vieux
Baron anglais, ou Les Revenants vengés*, de
Clara Reeve. La crainte, toutefois, de me
singulariser me retint au dernier moment
de formuler la demande de cet ouvrage et
me fit préférer m'enquérir de ce qu'il
pouvait exister comme livres anciens trai-
tant du 9 thermidor. Je feuilletai avec
ennui divers volumes de vulgarisation historique, me retenant à grand-peine d'acquérir les divagations en cinq tomes de je
ne sais quel abbé qui s'était fait fort d'interpréter toute l'époque révolutionnaire du
strict point de vue de l'hérésie religieuse, ce
qui me semblait pouvoir, à la rigueur, être

bouffon. J'entrai ensuite, par plus grand
désœuvrement, dans une librairie du boulevard Malesherbes, mais, comme j'eus
l'occasion de le vérifier quelques heures
plus tard, les livres — de même, semble-
t-il, que les femmes — tendaient à se substituer les uns aux autres et celui qu'à cet
endroit l'on m'avait remis empaqueté
n'était pas celui que je voulais. Comme je
m'acheminais lentement vers la Made-
leine, un homme élégant, d'une cinquan-
taine d'années, offrant l'aspect physique
d'un professeur, et que je crus d'abord
entendre parler seul, s'approcha de moi,
me demandant de lui prêter un franc.
« Monsieur, me dit-il, voyez à quoi j'en
suis réduit. Je n'ai pas sur moi de quoi
prendre le métro. » Je le regardai avec
surprise. Tout en lui démentait cette misère. Je lui remis un billet de dix francs, ce
dont il me remercia avec effusion : « Vous
ne pouvez savoir. Je viens, sur ce même
boulevard, à quelques mètres d'ici, de rencontrer mon meilleur, mon plus ancien
ami. Il a refusé de me rendre le service
que vous me rendez. Et d'ailleurs pourquoi me rendez-vous ce service ? » Il fit
un pas en arrière, comme pour me voir,
et brusquement : « Monsieur, je ne sais
qui vous êtes, mais je vous souhaite de faire
ce que vous devez faire et ce que vous pou-

vez faire : quelque chose de grand *. » Il
s'éloigna. Je ne suis pas fou et je conte
cette histoire comme elle m'est arrivée. Je
poursuivis mon chemin. Un peu plus loin,
un agent m'interpellait. Il voulait savoir
si l'homme de tout à l'heure ne m'avait
pas demandé d'argent. J'eus la présence
d'esprit de répondre que non. Un jeune
homme que je n'avais d'abord pas vu et
qui se trouvait auprès de lui s'étonna. Diverses personnes, dont il était, venaient
d'être ainsi curieusement rançonnées. Je
n'y pensai plus jusqu'au lendemain matin
où Paul Éluard, à qui je n'avais pas fait
part de cette rencontre, vint me voir, com-
mentant en mauvaise part les idées sur la
charité de Feuerbach. D'autre part, *Le
Journal* du 21 avril publiait en première
page le savoureux entrefilet suivant :

*La police judiciaire vient, hier, de mettre fin
aux exploits de cinq individus qui dévalisaient,
depuis plusieurs semaines, des provinciaux cossus
ou de riches étrangers de passage dans la capitale.*

---

* Le présent chapitre de ce livre était écrit (j'avais
déjà cité de mémoire ces paroles) quand j'entrepris la
lecture du *Vieux Baron anglais*, que j'avais enfin réussi à
me procurer. Une extraordinaire impression de déjà
entendu, aussitôt accompagnée de la vision très précise
de l'homme du boulevard Malesherbes, m'attendait au
passage de la page 82 à la page 83 : « Je ne sais, mais je
crois entrevoir en vous des marques qui m'annoncent
que vous êtes destiné à quelque chose de grand. »

Depuis deux mois, en effet, les plaintes af-
fluaient. Le récit des victimes était toujours à peu
près le même.

— J'ai été abordé dans la rue par un in-
connu qui m'a proposé de me guider dans Paris.
Nous avons lié conversation en marchant. Sur
notre passage, nous avons trouvé un portefeuille
bourré de billets de banque étrangers. Mon
compagnon l'a ramassé et l'a mis dans sa poche.
Mais, à ce moment, le propriétaire du porte-
feuille survenant, réclamait son bien. Comme
il prétendait qu'une partie de son argent lui avait
été dérobée et qu'il m'accusait, j'ai, pour justi-
fier de mon innocence, sorti de ma poche mon
propre portefeuille et je l'ai tendu à mon interlo-
cuteur. Celui-ci, après en avoir vérifié le contenu
et constaté qu'il ne contenait pas de billets étran-
gers, me l'a rendu. Une vive discussion s'est
alors élevée entre mon compagnon de rencontre
et l'autre personnage, et, bientôt ils s'enfuirent
tous les deux, l'un poursuivant l'autre.

Je m'aperçus alors que mon argent m'avait
été subtilisé et je compris la manœuvre dont je
venais d'être dupe. Le coup avait été préparé de
complicité par les deux hommes.

C'est hier, place de la Concorde, qu'après une
délicate enquête, les cinq complices ont été pris
en flagrant délit et arrêtés. Ce sont : Albert Mos-
cou, dit « l'Œil de Moscou »... etc.

Au premier courrier de ce même jour
m'arrivait une lettre d'un directeur de

revue accompagnant un article sur le *Second Manifeste du Surréalisme*, auquel j'étais invité à répondre. Cet article, sinon des plus compréhensifs, du moins des plus sympathiques, était signé du nom d'un de mes plus anciens camarades, J.-P. Samson, déserteur français du début de la guerre, et de qui je suis sans nouvelles directes depuis cette époque. C'est avec plaisir que je pris connaissance de ces quelques pages. J'y retrouvais le regard droit que j'avais connu à leur auteur ; je m'assurais qu'il m'eût suffi de le revoir et de lui fournir de vive voix quelques éclaircissements sur la véritable position surréaliste pour qu'il renonçât à la plupart de ses objections. Parmi ces dernières figurait essentiellement l'affirmation de cette idée que nous resterions toujours malgré nous des mystiques et que l'attirance qu'exerçait sur nous le « mystère » traduisait « un état d'esprit que son athéisme ne doit pas empêcher de qualifier de religieux ». Un tel paradoxe, joint à une réserve plus grave sur le bien-fondé de la campagne antireligieuse menée en U. R. S. S., était de nature à actualiser et à valabiliser d'une manière frappante la discussion sur l'opportunité de mener, dans la mesure de nos moyens, une lutte analogue en France : je répète qu'entre nous cette discussion avait

eu lieu la veille au soir. On voit comme les
faits, de cet ordre même, pouvaient s'en-
chaîner dans mon esprit. Et voilà bien ce
qui est taxé de mysticisme en moi. Le rapport causal, vient-on me dire, ne saurait
s'établir dans ce sens. Il n'y a aucune relation sensible entre telle lettre qui vous
arrive de Suisse et telle préoccupation qui
pouvait être vôtre aux environs du moment où cette lettre fut écrite. Mais n'est-
ce pas là, je le demande, absolutiser d'une
manière regrettable la notion de causalité ? N'est-ce pas là faire encore trop bon
marché de la parole d'Engels : « La causalité ne peut être comprise qu'en liaison
avec la catégorie du hasard objectif, forme
de manifestation de la nécessité ? » J'ajou-
terai que le rapport causal, pour troublant
qu'il soit ici, est réel, non seulement du
fait qu'il s'appuie sur l'universelle action
réciproque, mais encore du fait qu'il est
constaté. J'irai, d'ailleurs, plus loin. Ce nom,
Samson, que je n'avais plus entendu pro-
noncer depuis des années, en tombant ce
matin-là sous mes yeux pouvait-il faire
moins que me rappeler l'enfant aux yeux
d'eau, aux yeux, ai-je dit, de *Dalila*, avec
qui j'avais précisément rendez-vous ce
même jour à midi, pour déjeuner ? Que
cela puisse, pour certains, friser le délire
d'interprétation, je n'y vois pas d'inconvé-

nient, ayant insisté comme je l'ai fait sur les raisons de mon peu d'équilibre d'alors. Chez le coiffeur, un peu plus tard, je tournais sans conviction les pages du *Rire* qu'on m'avait mis entre les mains quand je faillis pouffer à la vue d'un dessin dont je venais de lire la légende. C'était vraiment trop beau, trop drôle. Je n'en croyais pas mes yeux. Une chambre et, dans le lit, une petite femme plus que blonde, aux yeux grands comme des soucoupes et que sans doute la lumière du matin faisait presque paraître pédonculés, tournée vers un individu brun, chauve, au nez en bec d'aigle, en robe de chambre galonnée, qui entrait, une tasse à la main. Le titre était : *Tête de Linotte*. Au-dessous du dessin on lisait :

— *Qui c'est qui porte son café au lit à sa petite femme ?*

— *C'est son cocu.*

Cela me parut, à cet instant, prodigieux. J'avais hâte de sortir pour acheter le numéro du journal. Plus je cherchais dans ma mémoire, moins j'arrivais à y découvrir, en fait de lapsus, quelque chose d'aussi irrésistible. Le plus étrange est que je n'avais jamais beaucoup aimé le dernier mot du dialogue. Tout enfant je me souviens de m'être attiré un jour de sévères réprimandes pour avoir à son sujet ques-

tionné mes parents, qui m'avaient emmené
au théâtre du Palais-Royal. Une femme,
qui a été « ma » femme, avait d'autre part
une véritable phobie de ce mot dont je ne
connais à vrai dire qu'un emploi magistral,
celui qui en a été fait dans cette phrase de
L'Origine de la Famille : « Avec la mono-
gamie apparurent deux constantes et caractéristiques figures sociales qui jusque-là
étaient inconnues : l'amant de la femme
et le cocu. » Mais il faut reconnaître que
ce mot, arrivant de la sorte, était surdéterminé. Je n'ai eu pour m'en convaincre
depuis lors qu'à me rappeler quelle femme
blonde avait pu pour la première fois me
faire entrer chez ce coiffeur.

Si la causalité était pour moi ce matin-
là chose retorse et particulièrement suspecte, l'idée de temps n'avait pas réussi
non plus à se garder très intacte. Alors
qu'en général je me montre capable, ayant
consulté, je suppose, pour la dernière fois
une montre à une heure de l'après-midi,
de dire, avec assez peu de chance de me
tromper d'une minute : il est à cette
même montre cinq heures vingt-trois (j'ai
fait maintes fois vérifier cette expérience
qui vaut surtout pour les jours où je me
trouve lucide, tout en m'ennuyant), j'avais
constaté que le taxi qui m'avait conduit à
la porte du coiffeur allait beaucoup trop

lentement, j'avais dû même en faire l'observation au chauffeur, de même que maintenant je trouvais que l'autobus où j'avais
pris place et qui suivait les boulevards
particulièrement encombrés pourtant à
cette époque et à cette heure allait trop
vite. Comme, notamment, il stationnait
à peine à l'angle de la rue de Richelieu, je
n'avais pas eu le loisir, de la plate-forme
où je me tenais, le numéro du *Rire* à la
main, de m'expliquer à quoi pouvait bien
correspondre la scène qui se déroulait à la
terrasse du café Cardinal. Sous l'œil d'innombrables badauds, un homme vêtu
d'une peau de bête, monté sur une chaise,
faisait misérablement passer par-dessus son
épaule gauche de jeunes fauves d'aspect
extraordinairement pelé qu'il rattrapait
derrière son épaule droite, sur laquelle
était jetée une cape rouge. Les animaux
qui s'étaient prêtés à cet absurde exercice étaient successivement réintroduits à
grand-peine dans une cage à claire-voie
par des comparses. Trois appareils étaient
braqués sur ce coin de monde incompréhensible. Il eût été difficile d'imaginer quelque chose d'aussi pompeuse-
ment bête. Je me représentai, durant
quelques secondes, avec tout l'écœurement
qui convient, les étonnants efforts cinéma-
tographiques français. Il faut dire que

j'ai toujours été vivement attiré par le trésor d'imbécillité et de loufoquerie grossière qui, grâce à eux, trouve le moyen de scintiller chaque semaine sur les écrans parisiens. Je tiens beaucoup, pour ma part, au scénario français et à l'interprétation française : avec cela du moins on est sûr de pouvoir s'égayer bruyamment (à moins, bien entendu, qu'il ne s'agisse d'un film « comique », en sorte que l'émotion humaine, dans son besoin d'extériorisations extrêmes, s'y retrouve).

Midi moins vingt : je savais que j'allais arriver beaucoup trop tôt. Il ne me restait plus qu'à patienter une demi-heure au café Batifol, 7, rue du Faubourg-Saint-Martin. Bien qu'il eût dépendu de la jeune fille que j'attendais et non de moi-même de fixer notre rendez-vous à cet endroit, nul autre, je dois dire, ne m'était plus familier. J'y étais entré, quelques mois auparavant, à la suite d'une femme très belle dont, naturellement, les yeux étaient ce qui m'avait d'abord subjugué : le tour de l'iris me faisait songer au bord rétractile des marennes vertes. Les renseignements que j'avais cru pouvoir prendre sur elle auprès du garçon ayant été pour tempérer mon désir de la connaître, j'en avais été quitte pour la regarder de loin et pour me promettre, quand je me trouverais par

trop seul, de revenir de loin la regarder.
Mais la salle où elle venait d'entrer eût
été, à elle seule, capable de me retenir :
elle était envahie, entre six et huit heures,
par l'espèce la plus grouillante de foule
que j'eusse encore vue : petits artistes de
théâtre et de concert, auxquels se mê-
laient un certain nombre de femmes et
d'hommes d'une profession socialement à
peine moins définie. Véritable Cour des
Miracles de l'art, le café Batifol confondait
dans une sorte de bruit marin montant et
descendant, bruit de rafale, l'espoir et le
désespoir qui se quêtent au fond de tous les
beuglants du monde. Des mois durant, par
la suite, mes amis et moi nous y étions
retrouvés à la fin de chaque après-midi,
chacun de nous appréciant, semble-t-il, de
ne pouvoir presque y parler aux autres,
faute d'espérer s'en faire entendre. Une
fois la poignée de main donnée, le mor-
ceau de glace introduit dans le verre, il
n'y avait plus qu'à se laisser bercer par ce
vent secouant le tablier d'une cheminée
dont la fumée eût été de la soie. Il y avait
là quelques femmes très jeunes qui mijo-
taient avant de l'entreprendre par un rire
éclatant, une œillade forcenée, une exhibition négligente de cuisses nues, la conquête
d'un « directeur »; d'autres, ailleurs, tout
affalées, parvenues au terme de leur car-

9

rière. Des négociations d'un caractère manifestement sordide se poursuivaient. Tout cela, bon pain, s'embrassait, se chicanait, parfois se battait : rien de plus accaparant, de plus reposant que ce spectacle.

A l'heure où j'y pénétrai le mardi 20 avril « Batifol » était presque vide. Seule à une table, près de la porte, une femme, très printanière, écrivait des lettres. Comme, involontairement, je faisais le tour des raisons qui à cet instant me voulaient *là* et non ailleurs, ces raisons, dans leur succession, me parurent plus enchevêtrées que je ne me les étais figurées tout d'abord. Toutes sortes de recoupements encore étaient possibles. C'est devant la Gaîté-Rochechouart que j'avais rencontré la personne que j'attendais, sans tenir autrement à ce qu'elle vînt; or, elle m'avait dit le dimanche matin qu'elle devait passer l'après-midi à ce même théâtre où sa mère voulait voir jouer l'ancien « Bout-de-zan » des films de Feuillade dans une pièce intitulée *Narcisse, champion d'amour*. Comme ce titre m'avait fait pressentir une de ces pièces françaises dont la tenue n'a d'égale que celle des films français, nous nous étions promis, mon ami Pierre Unik et moi, d'y prendre le soir de ce même dimanche un divertissement de haut goût. Le programme imprimé que je consultai dans la salle annonçait, à ma surprise, le premier acte sous le titre : « Le contentieux Batifol ». Au lever du rideau non seulement je pus constater que ces mots servaient à désigner, dans l'esprit de l'auteur, une officine louche, mais encore que la troupe qui donnait cette représentation avait été recrutée exclusivement parmi les habitués du café du faubourg Saint-Martin.

J'ai déjà dit que l'heure passa sans que je visse venir la décidément très capricieuse ou très moqueuse enfant de la maison noire. Pour ne pas déjeuner seul, je me décidai à inviter la cliente matinale qui venait enfin de terminer sa correspondance. Elle était, d'ailleurs, charmante et d'une liberté de langage qui me ravit, n'ayant rien à envier à celle de Juliette, dans le merveilleux livre de Sade. Je m'appliquai à lui donner la réplique sur le même ton. Le cynisme absolu qu'elle professait me rendait d'instant en instant ses immenses yeux plus limpides. Il en résulta entre nous un dialogue plein de surprises, entrecoupé délicieusement de lettres de sa mère et de sa jeune sœur qu'elle me lisait, lettres d'une niaiserie stupéfiante, dont j'ai toujours regretté de ne pas lui avoir demandé à prendre copie, et qui avaient toutes pour but d'obtenir d'elle, à l'instigation d'un curé de village, qu'elle ne manquât pas d'accomplir ponctuellement ses devoirs religieux. Je l'accompagnai jusqu'à Meudon, où, me confia-t-elle, l'attendait un vieillard sensible à ses charmes et pour qui elle me demanda de lui acheter des fleurs. Elle me dit en passant, connaître ou avoir connu Henri Jeanson, le revuiste, ce qui, joint à l'insistance qu'elle mettait à examiner mes cheveux, dont la coupe fraîche — je porte en arrière les cheveux assez longs — lui inspirait une certaine défiance, eut pour effet de me faire évoquer l'article que le matin j'avais lu de Samson et de me faire confondre en parlant, les jours qui suivirent, les noms de ces deux personnages. Je sus d'autre part qu'elle dansait aux Folies-Bergère et était affublée du nom de Parisette. Ce mot, jeté dans sa conversation, pour moi des plus poétiques, me fit précisément souvenir d'un film à épisodes français dont c'était le titre. Il y a plusieurs années, en réponse à une enquête du *Figaro* sur les tendances de la poésie moderne, je m'étais plu à opposer la poésie tout involontaire de ce film à la poésie écrite d'aujourd'hui. Celle-ci, d'après ma déclaration d'alors, ne vaut plus même la peine qu'on s'en occupe : « Autant suivre *Parisette* et les interrogatoires de cours d'assises. »

Cédant à l'attirance que depuis tant
d'années exerce sur moi le quartier Saint-
Denis, attirance que je m'explique par
l'isolement des deux portes qu'on y rencontre et qui doivent sans doute leur aspect si émouvant à ce que naguère elles ont
fait partie de l'enceinte de Paris, ce qui
donne à ces deux vaisseaux, comme en-
traînés par la force centrifuge de la ville,
un aspect totalement éperdu, qu'elles ne
partagent pour moi qu'avec la géniale tour
Saint-Jacques, je flânais vers six heures
dans la rue de Paradis, quand l'impression
que je venais de passer sans bien le voir
devant un objet insolite me fit revenir de
quelques mètres sur mes pas. C'était, à la
vitrine d'un petit marchand de bas, un
bouquet très poussiéreux de cocons de
vers à soie suspendus à des branchages secs
qui montaient d'un vase incolore. Une
réclame à rebours entre toutes. L'idée purement sexuelle du ver à soie et de la
jambe que le bas exposé le plus près du
vase était fait pour gainer me séduisit sans
doute inconsciemment quelques secondes
puis elle fit place au désir d'inventer pour
le bouquet gris un fond qui le mît particulièrement en valeur. Je me décidai assez
vite à lui assigner une place dans l'angle
supérieur gauche d'une petite bibliothèque
vitrée, que je préférais imaginer de style

gothique et accrochable au mur, chez moi,
à la façon d'une boîte de papillons. Cette
vitrine-bibliothèque eût été de taille à
contenir tous les « romans noirs » de
l'époque pré-romantique que je possède
et ceux qu'il me tarde encore de découvrir.
Je supputai l'effet que ces petits volumes,
dans leur charmante reliure Directoire ou
sous leur couverture d'un bleu ou d'un
rose uni un peu fané, ne pouvaient manquer de produire pour peu qu'on leur mé-
nageât cette présentation. D'autre part ces
livres étaient tels qu'on pouvait les prendre
et les ouvrir au hasard, il continuait à s'en
dégager on ne sait quel parfum de forêt
sombre et de hautes voûtes. Leurs héroïnes,
mal dessinées, étaient impeccablement
belles. Il fallait les voir sur les vignettes, en
proie aux apparitions glaçantes, toutes
blanches dans les caveaux. Rien de plus
excitant que cette littérature ultra-roma-
nesque, archi-sophistiquée. Tous ces châ-
teaux d'Otrante, d'Udolphe, des Pyrénées,
de Lovel, d'Athlin et de Dunbayne, par-
courus par les grandes lézardes et rongés
par les souterrains, dans le coin le plus
enténébré de mon esprit persistaient à
vivre de leur vie factice, à présenter leur
curieuse phosphorescence. Ils me rappe-
laient aussi ma lointaine enfance, le temps
où, à la fin des classes, des histoires beau-

coup plus terrifiantes, dont je n'ai jamais
pu savoir où il les prenait, nous étaient
contées, à moi et à mes petits camarades
de six ans, par un singulier maître d'école
auvergnat nommé Tourtoulou. N'importe,
ce meuble eût été très beau, je m'intéressai
toute une soirée à sa réalisation impossible.
Je voulais sans doute par-dessus tout, à ce
moment-là, édifier ce petit temple à la
Peur.

Le lendemain matin, vers six heures et
demie, je notai cette phrase de réveil :
« Dans les régions de l'extrême Extrême-
Nord, *sous* les lampes qui filent......... erre,
en t'attendant, Olga *. » J'ai eu le tort,
jadis, au cours du premier *Manifeste du
Surréalisme*, de donner une interprétation
par trop lyrique du mot « Béthune » qui
m'était revenu avec insistance à l'esprit
sans que je parvinsse à lui accorder de détermination spéciale. Je pense aujourd'hui
que j'avais mal cherché. Toujours est-il

---

* Le mot *sous* était souligné par la voix intérieure qui
semblait y mettre quantité d'intentions. Les points
tiennent la place de je ne sais quels mots destinés à meu-
bler poétiquement l'intervalle séparant les deux membres
de la phrase. Il était en quelque sorte spécifié que cette
période, marmonnée et volontairement inintelligible,
pouvait être remplacée par toute autre qui fût aussi
neutre qu'elle et aussi susceptible de ralentir seulement
le mouvement oratoire.

qu'en aucun cas cela ne devait m'engager
à me rendre à Béthune (et le fait est
que je ne m'y suis pas rendu). Il est difficile d'échapper, dans certaines conditions
d'existence déplorables comme celles dans
lesquelles, en ouvrant les yeux le mardi
22 avril je me trouvais placé, à la tentation de saisir la première occasion qui
s'offre de se mouvoir, surtout s'il doit en
résulter un dépaysement complet. J'avoue
que ma première pensée, en considérant
cette phrase, fut encore d'aller voir en Is-
lande, je ne sais où, en Finlande, ce que
cette Olga du soir me voulait. La réalité,
comme j'ai eu cette fois bel et bien l'occasion de m'en convaincre, était d'une nature
moins entraînante. Je tiens à faire ici, pour
me disculper, la synthèse d' « Olga ».

Il se trouvait tout simplement que
l'avant-veille, dans une vie de Rimbaud qui
venait de paraître et que je lisais tout en
me promenant boulevard Magenta, j'avais
appris que le dernier vers des « Voyelles » :

O l'Oméga, rayon violet de Ses Yeux

témoignait du passage, dans la vie du
poète, d'une femme dont les yeux *violets*
le troublèrent et que peut-être il aima
d'une manière malheureuse. Cette révéla-
tion biographique était pour moi du plus

grand intérêt. J'éprouve, en effet, pour le violet une horreur sans borne, qui va jusqu'à m'empêcher de pouvoir séjourner dans une pièce où cette couleur, même hors de ma perception directe, laisse filtrer quelques-uns de ses rayons mortels *. Il m'avait été agréable d'apprendre que Rimbaud, dont l'œuvre jusque-là me paraissait trop à l'abri des tempêtes passionnelles pour être pleinement humaine, avait de ce côté éprouvé au moins une déception grave. De plus, les yeux des femmes étaient, comme je l'ai donné suffisamment à entendre, tout ce sur quoi je pouvais prétendre me guider alors. Maintes fois, et très récemment encore, je m'étais ouvert à quelque ami de l'extraordinaire nostalgie où me laissaient, depuis l'âge de treize ou quatorze ans, de tels yeux violets qui m'avaient fasciné chez une femme qui devait faire le trottoir à l'angle des rues Réaumur et de Palestro. J'étais, je me souviens si bien, avec mon père. Jamais plus par la suite, et peut-être est-ce fort heureux, car je ne me fusse peut-être plus

---

* « Urbantschitsch, en examinant un grand nombre de personnes qui n'étaient pas sujettes à l'audition colorée, trouva qu'une note élevée du diapason semble plus haute quand on regarde du rouge, du jaune, du vert, du bleu; plus basse si l'on regarde du violet. » (Havelock Ellis.)

soucié d'autre chose en elle, ni en une
autre, je ne m'étais retrouvé devant pareil
sphinx. A peine plus tard enfin — ceci,
quoique tout aussi réel, demeurait moins
net — j'avais éprouvé un vif désir pour
une jeune fille d'origine russe près de qui
je faisais en sorte de m'asseoir à l'impé-
riale de l'omnibus qui me conduisait au
collège. Cette jeune fille s'appelait Olga.
Vers le milieu d'avril elle avait été évoquée
pour moi par une carte postale ancienne
sans légende représentant un jeune homme
et une jeune fille assis l'un près de l'autre,
et brûlant d'engager conversation à l'une
de ces impériales — Paul Éluard et moi
nous étions plu à rassembler de telles
cartes. — La lettre ω, dont le dessin n'est
d'ailleurs pas indifférent du point de vue
sexuel, avait fait place au nom d'Olga,
surdéterminé par rapport à elle. L' « extrême Extrême-Nord » était fourni, comme
je l'ai vérifié par hasard, ensuite, par certain passage d'un article du *Journal des
Poètes* du 18 avril, lu sans doute machina-
lement le 21. Dans cet article, qui accom-
pagnait la traduction de *Chants de la tribu
des Bœufs musqués* et des *Pays des Grandes
Baleines* s'inscrivait une phrase dont le seul
début : « Les hommes de l'extrême-nord,
naturellement poètes, étant naturellement
religieux... », ne fût-ce que parce qu'il cor-

roborait grossièrement, à quelques heures de distance, la plus regrettable erreur de Samson, ne pouvait me laisser qu'un désir médiocre de connaître la suite. Il ne m'eût plus manqué, dans ces conditions, que de m'expliquer pourquoi bien encore les lampes filaient, simple réminiscence sans doute du bouquet fumeux de la veille, et quelle aurore boréale de pacotille pouvait tenir à se cacher derrière le mot *sous*, mais j'avoue que l'évanouissement de cette Olga, qui avait paru me faire des signes de l'autre bout du monde, m'en ôta ce jour-là toute envie.

Sur ces entrefaites prirent fin la plupart des enchantements dont j'étais le jouet depuis quelques jours. Soit que j'eusse projeté sur les traits de cette Olga une lumière dont les êtres de fantaisie s'accommodent aussi mal que possible et qui les condamne, les uns après les autres, à l'évaporation; soit que tel ou tel épisode de la veille eût été de nature à restituer à mes yeux sa véritable lumière au monde sensible, il me sembla que tout à coup je venais de reprendre connaissance. Cette histoire, pourtant, comporte un mot de la fin, qu'il appartint le vendredi suivant à André Derain de lui fournir. Je n'étais pas encore, loin de là, débarrassé de ma hantise des « ro-

mans noirs ». Comme je me promenais rue
du Faubourg-Saint-Honoré, *Les Amants
somnambules* sous le bras, je rencontrai cet
homme extraordinaire dont je déteste la
peinture et dont j'aime les propos alternativement très simples et très subtils mais
toujours inquiets, cet homme qui dans les
tarots m'a identifié une fois pour toutes
comme « homme de la campagne » et qui
est bien le seul avec qui je réussisse à être
à la fois en très bons et en très mauvais
termes. J'avais lieu de croire qu'il tournait
depuis quelque temps autour de la femme
dont l'absence m'avait voué à ces plus ou
moins consternantes illusions et de qui précisément, quelques minutes plus tôt, je venais de croiser le mari, à un carrefour.
Comme Derain et moi nous nous serrions
la main, un violent coup de tonnerre
éclata, déchaînant instantanément une
pluie torrentielle : « Décidément, me dit-il
en riant, le temps n'est pas pour qu'on
se voie. — Comment l'interprétez-vous ?
— (Dans un haussement d'épaules) : Il y
aura de bon vin cette année. »

Il doit être impossible, en considérant ce
qui précède, de ne pas être frappé de l'analogie qui existe entre l'état que je viens de
décrire pour avoir été le mien à cette
époque et l'état de rêve, tel qu'on le conçoit

généralement. La différence fondamentale qui tient au fait qu'ici je suis couché, je dors, et que là je me déplace réellement dans Paris, ne réussit pas à entraîner pour moi de part et d'autre des représentations bien distinctes. Sur ces deux plans opposables, la même faveur et la même défaveur me poursuivent. Les portes de la motilité, en s'ouvrant devant moi, ne me permettent pas de m'introduire avec certitude dans un monde plus consistant que celui sur lequel, un peu plus tôt, un peu plus tard, ces portes peuvent être fermées. Certes je me prête entre temps à l'accomplissement d'un petit nombre d'actes plus ou moins réfléchis, comme ceux de me laver, de me vêtir, de me comporter à peu près comme d'ordinaire avec des amis. Mais ceci n'est plus guère qu'exercice d'une fonction coutumière comme celle de respirer en dormant, ou encore libre jeu d'un ressort qui n'a pu que partiellement se débander. Beaucoup plus significatif est d'observer comme l'exigence du désir à la recherche de l'*objet* de sa réalisation dispose étrangement des données extérieures, en tendant égoïstement à ne retenir d'elles que ce qui peut servir sa cause. La vaine agitation de la rue est devenue à peine plus gênante que le froissement des draps. Le désir est là, taillant en pleine pièce dans l'étoffe pas assez vite changeante, puis laissant entre les morceaux courir son fil sûr et fragile. Il ne le céderait à aucun régulateur objectif de la conduite humaine. Ce qu'il met en œuvre, ici encore, pour arriver à ses fins est si peu différent de ce dont il dispose pour se réaliser quand l'homme dort! Et pourtant les matériaux qu'il utilise sont ici des matériaux réels, des choses prises sur le vif! Cette femme qui a tels yeux il n'en veut pas, il veut seulement de ses yeux. Il sait pourtant que cette femme existe. Ce dessin humoristique pillé dans un journal a bien trouvé le moyen de s'inscrire dans un numéro du *Rire*, le dernier. Le café Batifol n'est pas un mythe; on pourrait même en faire une de ces descriptions naturalistes dont la gratuité toute photographique n'exclut pas une très faible ressemblance objective extérieure (j'aime ces descriptions : on y est et on n'y est pas; il y a, paraît-il, tant de pieds d'aspidistra sur le comptoir en faux marbre pas tout à fait blanc et vert; le soir, aux lampes, un pointillé de rosée relie sous un certain angle les échancrures des corsages, où brimbale à perte de vue le même petit crucifix de faux brillants, qui s'évertue à attiser l'éclat du rouge et du rimmel, etc. Tout cela n'est d'ailleurs pas complètement dénué d'intérêt; on arrive, par ce

moyen, à l'imprécision complète). Il me
paraît y avoir quelque chose de fallacieux
dans le sort que des poètes * ont cru devoir faire récemment à la phrase de Nerval : « Chacun sait que dans les rêves on
ne voit jamais le soleil, bien qu'on ait souvent la perception d'une clarté beaucoup
plus vive. » Je vois mal ce qu'une constatation négative de cet ordre, même à supposer qu'elle soit objectivement vérifiée,
pourrait avoir de si remarquable, de si
décisif. Peu importe, au reste, puisqu'en
ce mi-avril, je n'étais pas dans mes pé-
régrinations totalement privé de soleil,
comme je crois l'avoir fait valoir dans la
présentation, au début de ce récit, d'une
jambe, la première qui depuis longtemps
m'eût paru ravissante. Le soleil! Mais que
ne me voulaient pas alors, aussi bien, les
autres planètes! Je ne suis pas de ceux qui
dédaigneraient, à ce sujet, de consulter les
éphémérides. Il y a toutes sortes de moyens
de connaissance et certes l'astrologie pourrait en être un, des moins négligeables, à
condition qu'en soient contrôlées les pré-
misses et qu'y soit tenu pour postulat ce
qui est postulat. Mais, de grâce, passons
les hymnes au soleil! Il convient, me
semble-t-il, de s'élever contre ce « soleil »,

---

* Cf. *Le Grand Jeu*, nᵒ 3, automne 1930.

grand distributeur des valeurs réelles. Un
reflet de plus ou de moins n'est pas, si
nous hésitons à proclamer la réalité du
monde extérieur, ce qui nous tirera d'embarras. Ce monde extérieur, pour moi
tout voilé qu'il fût, n'était pas brouillé
avec le soleil. Ce monde, je savais qu'il
existait en dehors de moi, je n'avais pas
cessé de lui faire confiance. Il n'était pas
pour moi, comme pour Fichte, le non-moi
créé par mon moi. Dans la mesure où je
m'effaçais sur le passage des automobiles,
où je ne me permettais pas de vérifier, aux
dépens de qui bon me semblait, fût-ce de
moi-même, le bon fonctionnement d'une
arme à feu, j'en allais même, à ce monde,
de mon plus beau coup de chapeau. Je
pense que ceci doit suffire. Il n'en est pas
moins vrai qu'à cette soumission près,
je tentais désespérément, de toutes mes
forces, d'extraire du *milieu*, à l'exclusion
de tout le reste, ce qui devait d'abord servir à la reconstitution de ce moi. Par quel
discernement incompréhensible une pareille chose se peut-elle ? C'est là, selon
moi, une question de caractère métaphysique à quoi tout me dissuade de fournir
une réponse, au cours de laquelle ne saurait intervenir à nouveau que la nécessité
naturelle, qui continue à ne pas être la
nécessité humaine ou logique et qui est la

seule nécessité dont puisse dépendre que
j'aie commencé à exister et que je cesse
d'exister. *Tant que j'existe*, j'observe qu'autour de moi la fureur des flots ne peut
manquer de susciter cette bouée de sauve-
tage. Je sais qu'il y aura toujours une île au
loin, tant que je vivrai. Ce n'est en rien
comme dans le rêve où il m'arrive d'être
blessé à mort, ce qui fait que je m'éveille
pour ne pas mourir. Le débat me paraît ne
pouvoir se centrer mieux qu'autour de
cette pensée de Pascal : « Personne n'a
d'assurance hors la foi s'il veille ou s'il
dort; vu que durant le sommeil on ne croit
pas moins fermement veiller qu'en veillant
effectivement... De sorte que la moitié de
la vie se passant en sommeil par notre
propre aveu... qui sait si cette autre moitié
de la vie où nous pensons veiller n'est pas
un sommeil un peu différent du premier,
dont nous nous éveillons quand nous pensons dormir ? » Ce raisonnement, pour être
valable, exigerait tout d'abord dans son
balancement que si durant le sommeil on
croit veiller, durant la veille on crût dormir, et cette dernière illusion est des plus
exceptionnelles. Cette dernière conjonc-
ture ne serait encore pas de force à justifier
le second membre de la phrase : puisqu'il
n'en serait pas moins établi que le sommeil
et la veille se partagent la vie, pour-

quoi cette tricherie au bénéfice du sommeil? Et qu'est-ce, de plus, que ce sommeil qui n'est pas défini par rapport à une veille, si ce n'est, comme je crois devoir le penser, connaissant un peu l'auteur, à une veille éternelle, dont il serait à plus forte raison impossible d'avoir d'assurance *hors la foi*? Qu'est-ce que ce procès intenté à la vie réelle sous prétexte que le sommeil donne l'illusion de cette vie, illusion découverte à l'éveil, alors que dans le sommeil la vie réelle, à supposer qu'elle soit illusion, n'est en rien critiquée, tenue pour illusoire? Ne serait-on pas aussi fondé, parce que les ivrognes voient double, à décréter que pour l'œil d'un homme sobre, la répétition d'un objet est la conséquence d'une ivresse *un peu différente?* Comme cette différence résulterait du fait matériel d'*avoir bu* ou de *ne pas avoir bu*, j'estime qu'il n'y a pas lieu d'insister. Raison de plus, d'ailleurs, pour faire valoir ce qui peut exister de commun entre les représentations de la veille et celles du sommeil. C'est seulement, en effet, lorsque la notion de leur identité sera parfaitement acquise que l'on parviendra à tirer clairement parti de leur différence, de manière à renforcer de leur *unité* la conception matérialiste du monde réel.

C'est à dessein que j'ai choisi, pour la

retracer, l'époque de ma vie que je puis
considérer, par rapport à moi, comme moment particulièrement irrationnel. Il s'agis-
sait, comme on l'a vu, du moment où,
soustrait à toute activité pratique par la
privation intolérable d'un être, de sujet et
d'objet que j'avais jusqu'alors été et que
je suis redevenu, je ne parvenais plus à me
tenir que pour sujet. J'étais tenté de croire
que les choses de la vie, dont je retenais à
peu près ce que je voulais, plus exactement
dont je ne retenais que ce dont je pouvais
avoir le besoin immédiat, ne s'organi-
saient ainsi que pour moi. Ce qui se pro-
duisait, non sans lenteur et sans avatars
exaspérants, dans la mesure où j'en prenais conscience, me paraissait m'être dû.
J'y trouvais des indications, j'y cherchais
des promesses. Ceux qui se seront trouvés
dans une situation analogue ne m'en vou-
dront pas. De ce rêve éveillé, traînant sur
plusieurs jours, le contenu manifeste était,
à première vue, à peine plus explicite que
celui d'un rêve endormi. La cravate ou
l'azalée, le mendiant ou la folle, la nappe
blanche ou la place Blanche — je n'y
avais pas encore pensé — qui servent, au
cours de ce qui précède, à évoquer deux
dames allemandes distinctes, ne jouissent
pas les uns sur les autres d'une bien grande
supériorité concrète. Il semble qu'ici et là

le désir qui, dans son essence, est le même, s'empare au petit bonheur de ce qui peut être utile à sa satisfaction. C'est pur jeu de l'esprit de croire que dans le rêve éveillé il le *crée*. A défaut de ce qu'il trouve, je suppose, au contraire, qu'autre chose lui serait bon, tant il est vrai qu'il dispose de moyens multiples pour s'exprimer. On finira bien par admettre, en effet, que tout *fait image* et que le moindre objet, auquel n'est pas assigné un rôle symbolique particulier, est susceptible de figurer n'importe quoi. L'esprit est d'une merveilleuse promptitude à saisir le plus faible rapport qui peut exister entre deux objets pris au hasard et les poètes savent qu'ils peuvent toujours, sans crainte de tromper, dire de l'un qu'il est *comme* l'autre : la seule hiérarchie qu'on puisse établir des poètes ne peut même reposer que sur le plus ou moins de liberté dont ils ont fait preuve à cet égard *. Le désir, lui, s'il est vraiment

---

* Comparer deux objets aussi éloignés que possible l'un de l'autre, ou, par toute autre méthode, les mettre en présence d'une manière brusque et saisissante, demeure la tâche la plus haute à laquelle la poésie puisse prétendre. En cela doit tendre de plus en plus à s'exercer son pouvoir inégalable, unique, qui est de faire apparaître l'unité concrète des deux termes mis en rapport et de communiquer à chacun d'eux, quel qu'il soit, une vigueur qui lui manquait tant qu'il était pris isolément. Ce qu'il s'agit de briser, c'est l'opposition toute formelle de ces deux termes; ce dont il s'agit d'avoir raison, c'est

vital, ne se refuse rien. Toutefois, si la matière première qu'il utilise lui est jusqu'à un certain point indifférente, il n'est pas aussi riche quant à la manière de la traiter. Que ce soit dans la réalité ou dans le rêve, il est contraint, en effet, de la faire passer par la même filière : condensation, déplacement, substitutions, retouches. Tout ce qui s'est déroulé pour moi de ce 5 à ce 24 avril tient dans le petit nombre de faits que j'ai rapportés et qui, mis bout à bout, les temps d'attente naturellement non comptés, n'occuperaient pas plus de quelques heures. Je n'arrive plus à savoir de quoi le reste a pu être fait. La mémoire ne me restitue de ces quelques jours que ce qui peut servir à la formulation du désir qui primait à ce moment pour moi tous les autres. Le fait que le récit qu'on vient de lire soit celui d'événements déjà lointains, de sorte

---

de leur apparente disproportion qui ne tient qu'à l'idée imparfaite, infantile qu'on se fait de la nature, de l'extériorité du temps et de l'espace. Plus l'élément de dissemblance immédiate paraît fort, plus il doit être surmonté et nié. C'est toute la signification de l'objet qui est en jeu. Ainsi deux corps différents, frottés l'un contre l'autre, atteignent, par l'étincelle, à leur unité suprême dans le feu ; ainsi le fer et l'eau parviennent à leur résolution commune, admirable, dans le sang, etc. La particularité extrême ne saurait être l'écueil de cette manière de voir, de sentir : aussi bien la décoration architecturale et le beurre se conjuguent-ils parfaitement dans le *torma* thibétain, etc.

que s'y mêle fatalement une part d'interprétation tendant à le regrouper autour de
son véritable noyau, rend peut-être moins
aisé à saisir le travail de déplacement.
Celui-ci n'en a pas moins contribué à
l'élaboration de ce qui, si j'avais à l'époque
tenu un journal de ma vie, se fût imposé
comme contenu manifeste à l'attention.
Très probablement, c'est autour de l'activité antireligieuse que tout, alors, eût paru
se centrer. Rien de moins paradoxal, encore, si l'on songe que la femme, devenue
momentanément une créature impossible,
ne se maintenait plus devant ma pensée
que comme objet d'un culte spécial, nettement idolâtre, et que j'avais à me défendre
contre cette déviation inhumaine. L'activité antireligieuse prenait, de la sorte, pour
moi, en dehors de la valeur objective
qu'avec mes amis je lui accordais, un sens
subjectif très particulier. Pour que ceci
ressorte avec évidence de mon exposé, sans
doute faudrait-il que le temps qui me sépare de ces événements ne se soit pas
chargé d'opérer leur filtrage. Les substitutions d'êtres ou d'objets les uns aux autres
ont, par contre, été, je crois, des plus sensibles. Le passage flagrant des yeux du
5 avril aux yeux du 12, aux yeux d'une
figure d'aquarelle et aux yeux violets, la
confusion de J.-P. Samson et H. Jeanson, le

rapprochement d'ailleurs peu raisonnable
et précipité de l'incident du boulevard
Malesherbes et de l'arrestation de cinq
aimables filous, permettent même de leur
assigner au cours de cette quinzaine un
rôle des plus actifs. Il y a eu, notamment,
du côté de la femme, tentative de consti-
tution d'une personne collective qui fût
de force à se substituer elle-même, pour
des raisons de conservation humaine très
précises, à une personne réelle. Je n'ai pas à
m'étendre sur le travail d'élaboration secondaire, qui préside aux retouches dans
le rêve et à plus forte raison dans cet état
de rêverie éveillée, où la plus grande partie
de l'attention de veille fonctionne. C'est à
lui que le récit précédent est évidemment
redevable de tous ses éléments critiques et
de cette façon qu'on y observe (de même
que dans le rêve : qu'importe, puisque c'est
un rêve !) de penser à propos de la réalité dont on vient d'avoir par trop à se
plaindre : qu'importe, puisque je n'ai qu'à
appeler le sommeil à mon aide, qu'à me
comporter le plus possible comme dans le
sommeil pour me jouer de cette réalité !
    Une telle façon de réagir envers les don-
nées extérieures dépendant exclusivement,
comme elle fait, de l'état affectif du sujet,
état affectif qui est ici aussi désastreux que
possible, on conçoit que tous les intermé-

diaires puissent exister entre la reconnaissance pure et simple du monde extérieur
pour ce qu'il est et sa négation au profit
d'un système de représentations favorables
(ou défavorables) à l'individu humain qui
se trouve placé devant lui. Les idées de
persécution, de grandeur ne sont pas très
loin d'entrer en jeu; elles n'attendent plus
que l'occasion de se déchaîner, à la faveur
du tumulte mental. A cette limite, il faut
bien convenir que l'attention subissant une
crise grave, toute particulière, les représentations, en ce qu'elles offrent ordinaire-
ment d'objectif, se trouvent viciées. De
même que derrière le rêve on ne découvre
en dernière analyse qu'une substance réelle
empruntée aux événements déjà vécus,
l'appauvrissement extrême de cette substance condamne l'esprit à chercher refuge
dans la vie de rêve. L'emmagasinement de
nouveaux matériaux, comme au moment
d'une faillite, n'est plus qu'une obligation
dont l'homme s'acquitte à contre-cœur. Le
passif est trop élevé; on ne sait si les nouvelles marchandises qui arrivent couvri-
ront seulement les frais de leur magasinage.
Il y a tendance à s'en débarrasser immédiatement. Le rêve, qui manque depuis
quelque temps d'aliment, fait ici figure de
liquidateur. Il tend à décharger l'homme,
à bas prix, de ce dont celui-ci n'espère plus

avoir l'usage. Il obtient tout ce qu'il veut en me persuadant que, libéré de telle créance, je me découvrirai peut-être une nouvelle raison sociale, je pourrai recommencer à vivre sous un autre nom. Il est, dans son argumentation, à la fois d'une subtilité et d'une arrogance telles qu'il parvient à se faire accorder sur-le-champ tout ce dont en de meilleurs jours j'eusse pu réellement tenir à disposer. Il me barre littéralement l'action pratique. Les lois générales du mouvement de ce qui existe se trouvent perdues de vue par le sujet qui n'arrive plus à se considérer comme simple moment de ces lois. La balance dialectique voit son équilibre rompu au bénéfice du sujet qui, las de dépendre de ce qui lui est extérieur, cherche par tous les moyens à faire dépendre ce qui lui est extérieur de lui-même. En ce point seulement — ce n'est sans doute pas autrement que s'explique la très singulière détermination au suicide chez certains êtres — la méthodologie de la connaissance, gênée dans sa démarche qui tend de plus en plus à l'abstraire de l'objet, se révèle vulnérable, court son propre danger mortel.

Cette idée bat soudain pour moi le rappel de la sinistre trilogie énoncée par Borel, au cours de l'admirable poème liminaire de *Madame Putiphar* : Le Monde, le Cloître, la Mort. Et aussitôt se pressent dans mon esprit les victimes les plus attachantes de ces trois Parques. Je vois, dans l'époque moderne, Barrès, Valéry livrés aux bêtes des salons et aux honneurs, je les vois faire petit à petit comme les autres, plus mal que les autres. J'évoque la grâce très sombre et très décevante de Mlle de Roannez, pour qui dut être écrit le *Discours sur les Passions de l'Amour*, cette grâce contre laquelle l'auteur parvient mal encore à se parer sous les ombrages horribles de Port-Royal; puis l'ultimatum bizarre adressé par Barbey d'Aurevilly à Huysmans : « La bouche du pistolet ou les pieds de la croix. » Je retrouve, avant qu'ils eussent consenti au grand geste interrogatif qui devait faire d'eux des cadavres, le son de voix de Majakowsky, celui que je prête à ses poèmes, celui de Jacques Vaché, de Jacques Rigaut, que j'ai connus personnellement. Le voilà bien, tendu de toutes ces mains, le mauvais remède, le remède pire que le mal ! La voilà bien, la conséquence du système idéaliste subjectif poussé à l'extrême, du système à base de malheur ! Rien n'empêche, on le voit surtout dans le dernier cas, qu'il soit développé à fond, avec esprit de suite. Je ne puis, revenant à cette phrase de Pascal que j'ai citée, ne pas faire la part des considé-

rations affectives très troublantes qui ont
pu concourir à sa formation. Je me refuse
à y voir autre chose que l'expression du
découragement personnel d'un homme.
Les trappes, cet accessoire indispensable
du guignol humain, de celle qui sert à en-
gouffrer les palotins dans *Ubu Roi* à celle
dont l'auteur d'*En Route* a bien voulu
s'accommoder, continuent à desservir le
monde, dans la mesure où n'y suffisent pas
les corbillards et les voitures de voirie. On
est toujours en présence du même maître
d'école aux yeux crevés, celui des *Mystères
de Paris* d'Eugène Suë, que Marx a considéré comme le prototype de l'homme isolé
du monde extérieur : « Pour l'homme pour
qui le monde extérieur se change en simple
idée, les simples idées deviennent des êtres
sensibles. » Le cloître n'est d'abord, à vrai
dire, que le symbole de cette cécité involontaire ou volontaire. L'être qu'il tente
n'est, pour commencer, que le jouet de la
priorité accordée, pour une raison ou pour
une autre, mais toujours pour une raison
morbide, aux représentations hallucina-
toires sur les représentations réalistes. Très
rapidement d'ailleurs celles-ci reviennent
à la charge puisque aussi bien il ne saurait
être question de détemporaliser le monde
religieux. L'individu cloîtré, qu'il le veuille
ou non, devient de tout son agissement fac-

teur de ce monde qui n'existe qu'en fonction de l'autre et vit sur le plan réel en
parasite de celui-ci. Comme, d'autre part,
l'a montré Marx dans sa quatrième thèse
sur Feuerbach, le fait du dédoublement de
la base temporelle du monde religieux en
ses parties antagonistes ne saurait avoir de
sens qu'à la condition qu'il soit établi que
« Dieu » n'est pas la création toute abs-
traite de l'homme et les conditions d'existence qui lui sont prêtées le reflet des
conditions d'existence de l'homme. Mais,
de la même manière que le rêve puise tous
ses éléments dans la réalité et n'implique
hors de celle-ci la reconnaissance d'aucune
réalité autre ou nouvelle, de sorte que le
dédoublement de la vie de l'homme en
action et en *rêve*, qu'on s'efforce également
de faire tenir pour antagonistes, est un
dédoublement purement formel, une fic-
tion, toute la philosophie matérialiste, ap-
puyée par les sciences naturelles, témoigne
du fait que la vie humaine, conçue *hors* de
ses limites strictes que sont la naissance et
la mort, n'est à la vie réelle que ce que le
rêve d'une nuit est au jour qui vient d'être
vécu. Dans l'apologie du rêve tenu pour
terrain d'évasion et dans l'appel à une vie
surnaturelle ne trouve pareillement à s'exprimer qu'une volonté toute platonique
d'amendement dont c'est en même temps

le désistement complet. A cette volonté inopérante s'oppose et ne peut s'opposer tout d'abord qu'une volonté de transformation des causes profondes du dégoût de l'homme, qu'une volonté de bouleversement général des rapports sociaux, qu'une volonté *pratique* qui est la volonté révolutionnaire. — Et qu'on ne m'objecte pas que j'ai cependant donné prise à la démoralisation apparemment la plus vaine, comme j'ai tenu à le montrer moi-même, au cours d'une période assez étendue : n'ai-je pas été le premier à dire qu'alors, comme il arrive lorsqu'on est sous le coup d'une émotion trop violente, la faculté critique était presque abolie en moi? Mais ce temps d'indisponibilité passé, je demande qu'on me rende cette justice, rien de ce qui jusque-là avait fait pour moi la grandeur et le prix exceptionnels de l'amour humain n'était, dans son essence, compromis. Tout au contraire mon premier mouvement fut de rechercher sur quelle pierre était venu achopper tout ce que, sous-estimant passagèrement le malentendu social, j'avais eu la faiblesse de tenir en moi pour la possession de la vérité. L'amour humain est à réédifier, comme le reste : je veux dire qu'il *peut*, qu'il doit être rétabli sur ses vraies bases. La souffrance, ici encore, n'est de rien ou plus

exactement convient-il qu'elle ne soit tenue pour valable que dans la mesure où,
comme toute autre manifestation de la
sensibilité humaine, elle est créatrice d'activité pratique. Il faut qu'elle aide l'homme
non seulement à concevoir, pour commencer, le mal social actuel, mais encore
qu'elle soit, de même que la misère, l'une
des grandes forces qui militent pour qu'un
jour ce mal soit limité. Les amants qui se
quittent n'ont rien à se reprocher s'ils se
sont aimés. A bien examiner les causes de
leur désunion on verra qu'en général ils
étaient si peu en pouvoir de disposer d'eux-
mêmes ! Le progrès, ici encore, n'est conce-
vable que dans une série de transformations dont la durée enraye passablement
celle de ma vie, de transformations parmi
lesquelles je sais d'autant mieux qu'il en
est une qui s'impose d'urgence, — la briè-
veté de cette vie intervenant comme facteur concret et passionnant dans le sens de
cette nécessité primordiale qui prend forme
d'urgence — une qui permettra l'accession
à l'amour et aux autres biens de la vie de
cette nouvelle génération annoncée par
Engels : « Une génération d'hommes qui
jamais de leur vie n'auront été dans le cas
d'acheter à prix d'argent, ou à l'aide de
toute autre puissance sociale, l'abandon
d'une femme ; et une génération de femmes

qui n'auront jamais été dans le cas de se livrer à un homme en vertu d'autres considérations que l'amour réel, ni de se refuser à leur amant par crainte des suites économiques de cet abandon. » Je sais, dis-je, qu'il y a une tâche à laquelle l'homme qui s'est tenu un jour pour gravement frustré dans ce domaine peut encore moins qu'un autre se soustraire. Cette tâche, qui, loin d'ailleurs de lui masquer toutes les autres, doit, au contraire, lui livrer en s'accomplissant la compréhension perspective de toutes les autres, c'est sa participation au balaiement du monde capitaliste.

III

« Vous ne pourrez jamais voir
étoile comme je la voyais. Vous ne
prenez pas : elle est comme le
d'une fleur sans cœur. »

Na

Les hommes actuellement en vie auxquels échoit, avant d'être vraiment dépar-
tie à tous les hommes, la tâche de dégager
l'intelligible du sensible et d'aider à la
réalisation du bien, au sens où celui-ci doit
ne faire qu'un avec le vrai, se trouvent aux
prises avec une difficulté fondamentale,
qu'il serait contraire à la vie de sous-esti-
mer sous prétexte qu'elle est uniquement
fonction du temps qui est le leur, qu'elle
ne peut manquer de s'aplanir dès que
l'économie mondiale aura été arrachée à
son instabilité. Cette difficulté provient de
ce qu'un pays, l'U. R. S. S., ayant, à
l'exclusion des autres, récemment triom-
phé de l'obstacle le plus considérable qui
s'oppose, dans la société moderne, à la
réalisation de ce bien (je veux parler de
l'exploitation d'une classe par l'autre),
l'idée pratique, agissante, dont le rôle dans
le temps est précisément de se soumettre
une série d'obstacles pour en triompher,

bute à chaque pas sur la nécessité de combler à tout prix le fossé qui sépare ce pays
libre de l'ensemble des autres pays. Cette
opération ne peut, bien entendu, être
conduite que dans le sens d'une délivrance
de ces derniers pays et non du retour à l'es-
clavage du premier. Toute autre conception entrerait, en effet, en contradiction
tant avec l'idée du « devoir être » qu'avec
la caractérisation la plus objective du fait
historique, avec lequel, en dernière analyse, cette idée du « devoir être » s'identi-
fie. Si l'on s'en tenait à ces données immé-
diates du problème, il est clair que l'action
pratique se déduirait, dans ses modalités,
fort clairement. L'effort humain deman-
derait à être appliqué, provisoirement, en
un seul point : le devoir de l'intellectuel,
en particulier, serait de renoncer aux
formes de la pensée spéculative en ce que
celles-ci ont d'abstrayant du temps fini et
de l'espace fini. Tant que le pas décisif
n'aurait pas été fait dans la voie de cette
libération générale, l'intellectuel devrait,
en tout et pour tout, s'efforcer d'agir sur
le prolétariat pour élever son niveau de
conscience en tant que classe et développer
sa combativité.

Cette solution toute pragmatique ne résiste malheureusement pas à l'examen.
Elle n'est pas plus tôt formulée qu'elle voit

se dresser contre elle des objections tour à tour essentielles et accidentelles.

Elle fait exagérément bon marché, tout d'abord, du conflit permanent qui existe chez l'individu entre l'idée théorique et l'idée pratique, insuffisantes l'une et l'autre par elles-mêmes et condamnées à se borner mutuellement. Elle n'entre pas dans la réalité du détour infligé à l'homme par sa propre nature, qui le fait dépendre non seulement de la forme d'existence de la collectivité, mais encore d'une nécessité subjective : la nécessité de sa conservation et de celle de son espèce. Ce désir que je lui prête, que je lui connais, qui est d'en finir au plus tôt avec un monde où ce qu'il y a de plus valable en lui devient de jour en jour plus incapable de donner sa mesure, ce désir dans lequel me paraissent pouvoir le mieux se concentrer et se coordonner ses aspirations généreuses, comment ce désir parviendrait-il à se maintenir opérant s'il ne mobilisait à chaque seconde tout le passé, tout le présent personnels de l'individu ? Quel risque ne courrait-il pas à ne compter, pour arriver à ses fins, que sur la tension d'une corde le long de laquelle il s'agirait à tout prix de passer, défense faite, à partir de l'instant où l'on s'est engagé sur elle, de regarder au-dessus et au-dessous ! Comment pourrais-je ad-

mettre qu'un tel désir échappe seul au
processus de réalisation de tout désir, c'est-
à-dire ne s'embarrasse pas des mille éléments de vie composite qui sans cesse,
comme des pierres un ruisseau, le détournent et le fortifient! Bien plutôt im-
porte-t-il, de ce côté de l'Europe, que nous
soyons quelques-uns à maintenir ce désir
en état de se recréer sans cesse, centré
qu'il doit être par rapport aux désirs hu-
mains éternels si, prisonnier de sa propre
rigueur, il ne veut pas aller à son appauvrissement. Lui vivant, ce désir ne doit
pas faire que toutes questions ne de-
meurent pas posées, que le besoin de savoir
en tout ne suive pas son cours. Il est bien, il
est heureux que des expéditions sovié-
tiques, après tant d'autres, prennent aujourd'hui le chemin du Pôle. C'est là
encore, pour la Révolution, une manière
de nous faire part de sa victoire. Qui ose-
rait m'accuser de retarder le jour où cette
victoire doit apparaître comme totale en
montrant du doigt quelques autres zones,
non moins anciennes et non moins belles,
d'attraction? Une règle sèche, comme celle
qui consiste à requérir de l'individu une
activité strictement appropriée à une fin
telle que la fin révolutionnaire en lui pros-
crivant toute autre activité, ne peut manquer de replacer cette fin révolutionnaire

sous le signe du bien abstrait, c'est-à-dire d'un principe insuffisant pour mouvoir l'être dont la volonté subjective ne tend plus par son ressort propre à s'identifier avec ce bien abstrait. Il est permis de voir là une cause appréciable de collision morale qui pourrait contribuer à entretenir la division actuelle, persistante, de la classe ouvrière. Le caractère protéiforme du besoin humain serait pour faire mettre celui-ci beaucoup plus diversement, beaucoup plus largement à contribution. Toutes les puissances de la revendication immédiate ou non, dans lesquelles se reconstitue indifféremment l'élément substantiel du bien, demandent à être exercées.

Les objections accidentelles qui me semblent de nature à venir renforcer ces objections essentielles jouent sur le fait qu'aujourd'hui le monde révolutionnaire se trouve pour la première fois divisé en deux tronçons qui aspirent, certes, de toutes leurs forces à s'unir et qui s'uniront, mais qui trouvent entre eux un mur d'une épaisseur de tant de siècles qu'il ne peut être question de le surmonter et qu'il ne peut s'agir que de le détruire. Ce mur est d'une opacité et d'une résistance telles qu'à travers lui les forces qui, de part et d'autre, militent pour qu'il soit jeté bas, en sont réduites pour une grande part à se

pressentir, à se deviner. Ce mur, en proie,
il est vrai, à ses lézardes très actives, offre
cette particularité que, devant lui, on
s'emploie hardiment à construire, à organiser la vie, alors que derrière lui l'effort
révolutionnaire est appliqué à la destruction, à la désorganisation nécessaires de
l'état de choses existant. Il en résulte une
dénivellation remarquable à l'intérieur de
la pensée révolutionnaire, dénivellation à
laquelle sa nature spatiale, tout épisodique,
confère un caractère des plus ingrats. Ce
qui est vrai, librement accepté en telle
région du monde, cesse ainsi d'être valable, acceptable en telle autre région. Il
peut même arriver que ce qui est le mal ici
devienne assez exactement le bien là. La
généralisation de cette dernière notion se
montrerait cependant des plus dangereuses
et des plus vaines. Rien ne dit que de
mauvaises graines, qu'aile le vent d'ouest,
ne réussissent pas à passer journellement
de l'autre côté du mur et à s'y développer
aux dépens des autres, pour la plus grande
confusion de l'homme qui s'efforce de distinguer avec précision ce qui nourrit, ce
qui élève, de ce qui abaisse et de ce qui
tue. Une telle discrimination se montre
d'autant plus délicate, d'autant plus aléa-
toire que ce qui est conçu ici sous les réserves les plus expresses — en l'attente d'un

bouleversement imminent des valeurs —
correspond dans le temps à ce qui est
conçu là presque sans réserves — sur la
foi de ce bouleversement qui a eu lieu. Il
est naturel que les hommes qui pensent de
ce côté de la terre, déterminés qu'ils sont
à juger toutes choses dans le crépuscule
qui leur est fait, se défendent mal d'un
mouvement de surprise, d'un geste peut-
être en lui-même aussi crépusculaire (« Ce
n'est que cela! ») à la contemplation des
images qui leur sont données de ce qui se
passe sur cette terre toute jeune, là-bas vers
l'Orient, sur cette terre où tout se doit
d'être si différent, si supérieur à ce qu'on
attend, à perte de vue, et sur laquelle ne
s'agitent après tout encore que des hommes
et des femmes incomplètement libérés du
souci de vivre, de savoir et, par-ci, par-là,
qu'ils s'en cachent ou non, d'être heureux.
Je pense aux films russes qu'on passe en
France, non sans les avoir châtrés, il est
vrai mais qui, vus d'ici, se révèlent si su-
perficiellement optimistes, si médiocrement
substantiels. Quel correctif n'est-on pas
obligé de faire intervenir pour les trouver
émouvants et beaux! Il faut pour cela
prêter à ceux qui les reconnaissent pour
leur expression un enthousiasme durable,
sur la vertu communicative duquel je
crains qu'ils ne s'illusionnent. Presque rien

ne passe, en effet, ne parvient jusqu'à
nous de l'étreinte d'une nouvelle réalité à
travers ces productions doublement trahies
par la censure et le dépaysement à la fois
physique et moral. Je ne crois pas être
tout à fait seul à penser qu'au point de vue
révolutionnaire leur valeur de propagande
est des plus discutables. On pourrait en
dire autant d'un trop grand nombre de
documents littéraires ou photographiques
qui, depuis une dizaine d'années, nous ont
été mis sous les yeux. Heureusement, nous
savons — et ceci compense largement
cela — nous savons que là-bas les églises
s'effondrent et continueront à s'effondrer
jusqu'à la dernière : enfin! Que le produit
du travail collectif est réparti, sans privi-
lège, entre les travailleurs : c'est assez.
Nous tressaillons pour la première fois au
rassemblement lointain d'une armée qui
est l'Armée Rouge, et dont la force nous
est le meilleur garant de la ruine pro-
chaine de l'idée même d'armée. Bien
d'autres représentations nous assaillent encore, qui disposent sur nous, *voyageurs du
second convoi*, d'une valeur agitante très supérieure à celle des blés ondulants et des
pyramides de pommes du Plan Quin-
quennal. Si, bien sûr, nous voulons la
grandeur, la montée continue de ce pays
qui a réalisé ce que nous n'avons pas su

encore réaliser nous-mêmes et dont nous nous réjouissons que les habitants prennent de l'avance, non pas *sur* nous mais *pour* nous, ce vœu ne doit pas être pour nous distraire, au contraire, de tout ce qui subsiste contradictoirement ailleurs, ne doit pas nous faire prendre en patience le sort qui nous est fait par les convulsions de l'effroyable bête malfaisante qu'est la prétendue civilisation bourgeoise. La répression de plus en plus sanglante qui se déchaîne sur le monde, l'inoubliable appel de ceux qui, de plus en plus nombreux, marchent à la mort dans un chant de liberté, nous font un devoir de trouver en nous et surtout en nous la lucidité et le courage nécessaires pour attaquer à la fois, en tous ses points vulnérables, le monstrueux organisme oppresseur dont il s'agit universellement d'avoir raison. La réalité révolutionnaire ne pouvant être la même pour des hommes qui se situent, les uns en deçà, les autres au delà de l'insurrection armée, il peut paraître jusqu'à un certain point hasardeux de vouloir instituer une communauté de devoirs pour des hommes inversement orientés par rapport à un fait concret aussi essentiel. Les obligations diplomatiques auxquelles se trouve astreinte l'U. R. S. S., contrainte pour un temps d'entretenir des relations passables avec les états capitalistes, en la privant de prendre en toute circonstance le ton cassant qui serait de rigueur, sont encore, il faut bien le dire, pour accroître le malaise. La nécessité indiscutable pour l'U. R. S. S. de parvenir à une certaine stabilisation matérielle n'est pas pour rendre, ailleurs, moins sensible l'ajournement de diverses modifications fondamentales qu'on eût espéré que la Révolution victorieuse serait à même d'opérer dans le domaine des mœurs. Sous tous ces rapports, il est clair que l'enseignement de la Révolution russe, à son étape actuelle, ne peut être par lui seul qu'un enseignement imparfait, qu'il y a lieu de le rapporter aussi librement que possible à chaque temps et à chaque pays autres pour le faire entrer en composition réelle avec les forces objectives et subjectives que le révolutionnaire veut mettre en action.

Ainsi parvenons-nous à concevoir une attitude synthétique dans laquelle se trouvent conciliés le besoin de transformer radicalement le monde et celui de l'interpréter le plus complètement possible. Cette attitude, nous sommes quelques-uns à nous y tenir depuis plusieurs années et nous persistons à croire qu'elle est pleinement légitime. Nous n'avons pas désespéré, en dépit

des attaques multiples qu'elle nous vaut,
de faire comprendre qu'elle n'est aucunement opposable à celle des révolutionnaires professionnels, à laquelle, cela serait-il par impossible en notre pouvoir,
nous nous en voudrions de faire subir la
moindre dérivation. Notre ambition est,
au contraire, d'unir, au moyen d'un nœud
indestructible, d'un nœud dont nous aurons passionnément cherché le secret pour
qu'il soit vraiment indestructible, cette activité de transformation à cette activité
d'interprétation. Non, nous ne sommes
pas doubles, ce n'est pas vrai, non, il n'y a
pas de bigamie grotesque dans notre cas.
Nous voulons que ce nœud soit fait, et qu'il
donne envie de le défaire, et qu'on n'y parvienne pas. J'ai parlé de suicides. On a
beaucoup remarqué, malgré tout, ces
congés brusques pris de l'existence par des
hommes en qui s'incarnait une passion
particulièrement moderne, je veux dire
fonction du temps, du présent au suprême
degré. Des poètes, des hommes qui, tout
bien examiné, la vie, ses pas du tout négligeables raisons d'être, l'idée du meilleur à
atteindre, que dis-je, atteint, se recueil-
laient un soir, un matin très sombrement
et, ma foi, décidaient que ce n'était point
la peine, en ce qui les concernait, de poursuivre plus avant l'expérience (j'imagine

qu'ils prononçaient volontiers, *à tort*, ce mot d'expérience). Leur bizarre cohorte y va de ses ricanements, de ses grincements de dents assez spéciaux chaque fois que notre goût naturel de l'adresse et même de l'apparente acrobatie nous fait côtoyer des abîmes d'une certaine taille, c'est-à-dire plus souvent, comme eux naguère, qu'à notre tour. La nuit définitive qu'ils partagent, pour s'être trouvé avec elle, des coins les plus opposés du monde, une affinité égale tend à jeter un égal discrédit sur ce qui les a animés, mis aux prises et, le plus vainement qui se puisse, réconciliés dans la défaite. Parmi eux figurent en bonne place des révolutionnaires, des êtres qui n'ont pas hésité, après avoir mis hautainement dans un plateau de la balance leur génie, leur foi tout entière et avec elle, cela s'est vu, la foi de centaines de milliers d'hommes, à laisser tomber misérablement dans l'autre un cri insignifiant de souffrance personnelle, capable de l'emporter aussitôt sur tout le reste. On se souvient de la mort obscure d'Essénine, de Majakowsky. Comment non plus ne pas prendre note d'une communication passée il y a quelques mois à la presse révolutionnaire par Élie Selvinsky, leader de l'école constructiviste, qui conclut, certes, dans un sens diamétralement opposé mais qui, tout étayée qu'elle est de considérations affectives personnelles, ne laisse pas non plus d'alarmer? D'après cette communication, je le rappelle, l'auteur, dont la vie fut remarquablement mouvementée (il a exercé vingt métiers, conduit une auto-mitrailleuse en Tauride, fait de la prison, connu d'appréciables succès littéraires, etc.), l'auteur, dis-je, ayant atteint ce tournant de la vie où l'on se sent « décliner » (comment? pourquoi? de quel tournant s'agit-il?) ne parvient à récupérer ses moyens et ses forces qu'en se faisant embaucher à l'Usine Électrique de Moscou en qualité d'apprenti soudeur. Une résolution du comité d'usine, qu'il porte avec fierté à notre connaissance, nous apprend que ses camarades ouvriers louent sans réserves le poème que, peu après son entrée, il a consacré à la vie et aux mœurs de l'usine et attendent de lui de nouvelles réussites sur le même plan. Je serais mal venu à contester à Selvinsky le mérite que les meilleurs juges lui reconnaissent en cette circonstance. Toutefois, je regrette que la seule débilitation de sa faculté créatrice l'ait engagé dans cette voie. J'y trouve la preuve qu'une antinomie remarquable subsiste dans la pensée de certains hommes, à qui la qualification de révolutionnaires ne peut, sans doute, pourtant

pas être refusée. Un écrivain, un intellectuel en régime collectiviste pourrait donc
à son gré se soustraire aux obligations
communes jusqu'au jour où le mécontent-
tement de lui-même viendrait le remettre
au pas ? C'est bien peu compter, en
moyenne, avec la vanité, avec la paresse.
Il me paraît y avoir encore là une conception bien aventureuse, bien inutilement
dangereuse, de la vie. Voici donc à nouveau que ce sont les passions et l'absence
de passions seules qui gouvernent. Celui
qui veut ici nous faire croire qu'il s'amende
ne parvient à restaurer dans sa toute-puis-
sance, et indépendamment de son objet,
que le *désir* dans l'essence duquel il est de
passer d'un objet à un autre en ne valori-
sant sans cesse, de ces objets, que le dernier. L'étrange, la peu rassurante ligne
brisée que celle qui va, de lassitude en
lassitude, des cafés poétiques à l'usine en
passant par ce que Selvinsky, maintenant,
nomme avec mépris « les petites pan-
toufles des femmes charmantes » ! La vérité est que l'activité d'interprétation tient
ici à l'activité de transformation par un
nœud extrêmement lâche — le brillant
prestidigitateur se présente pieds et poings
liés ; le temps de placer et de déplacer le
paravent (le paravent, c'est ce qu'on ne
sait pas de l'individu), par son seul pou-

voir, toutes les bougies s'allument, vacarme, il réapparaît enchaîné. Aucun cachet n'a, naturellement, été brisé. Dans
son enthousiasme, le public enfantin est
prêt à signer toutes les attestations voulues.

Le jugement interprétatif porté par Selvinsky, tout comme par Majakowsky ou
Essénine, ce jugement que chacun d'eux
rapporte étroitement à lui-même, à son
aventure personnelle, se révèle, à l'examen,
des plus insuffisants et des plus médiocres.
Il est inadmissible que dans la société nouvelle la vie privée, avec ses chances et ses
déceptions, demeure la grande distribu-
trice comme aussi la grande privatrice des
énergies. Le seul moyen de l'éviter est de
préparer à l'existence subjective une re-
vanche éclatante sur le terrain de la
connaissance, de la conscience sans faiblesse et sans honte. Toute erreur dans
l'interprétation de l'homme entraîne une
erreur dans l'interprétation de l'univers :
elle est, par suite, un obstacle à sa transformation. Or, il faut le dire, c'est tout un
monde de préjugés inavouables qui gravite
auprès de l'autre, de celui qui n'est justi-
ciable que du fer rouge, dès qu'on observe
à un fort grossissement une minute de
souffrance. Il est fait des bulles troubles,
déformantes qui se lèvent à toute heure du
fond marécageux, de l'*inconscient* de l'indi-

vidu. La transformation sociale ne sera
vraiment effective et complète que le jour
où l'on en aura fini avec ces germes cor-
rupteurs. On n'en finira avec eux qu'en
acceptant, pour pouvoir l'intégrer à celle
de l'être collectif, de réhabiliter l'étude du
moi.

*

Bonaparte me trouble quand, venant de
faire briser à coups de canon les portes de
Pavie et fusiller les éléments rebelles, il se
mêle de poser — c'est Hegel qui le rapporte — à la classe d'idéologie de l'Université qu'il visite l' « embarrassante »
question de la différence entre la veille et
le sommeil. Il me faut donc admettre que
même pour cet homme, apte comme nul
autre à faire surgir le fait concret, une telle
distinction ne s'établit pas sans plus ou
moins grand débat intérieur. En ce prai-
rial de l'an IV, à l'heure où il vient de
porter le coup de grâce à la Révolution
sur le point de renaître de ses cendres (la
dissolution de la Société du Panthéon est
de ventôse) et où il paraît tenir en mains
le sort de l'Europe, il est assez édifiant de
voir le vainqueur, le conquérant que tout
dissuade de douter de son étoile, demander
qu'on tranche pour lui de ce qui marque,

de ce qui compte, de ce qui vaut entre les
épisodes sanglants que déroule à ses pieds
l'histoire et ceux qui se trament, à son insu
ou non, dans le brouillard immatériel qui
monte de son lit de camp. Quelque chose
passe objectivement et critiquement de ce
doute à la lecture, aussi, d'une partie de sa
correspondance de cette époque, les lettres
à Joséphine, où des victoires fameuses, su-
bordonnées en importance et, pourrait-on
croire, en réalité aux mouvements d'inquiétude amoureuse d'un homme de qui
l'on a pourtant dit qu'il préférait « l'amour
tout fait » à « l'amour à faire », ne font de
sa main l'objet que d'une mention d'une
ligne, en post-scriptum. En cela nulle modestie bien sûr, nul parti-pris de bonne
éducation. C'est plaisir de voir un tour-
ment plus fort que celui qui porte à domi-
ner les hommes, à décider du sort des pays,
à changer les institutions, tracer son sillon
dans le cœur de Bonaparte à la nuit tom-
bante, lui dérobant tout à coup le paysage
guerrier, investissant de la seule autorité
suffisante pour les pouvoir faire considérer
comme réels... quoi ? moins que rien, les
faits et gestes d'une femme légère mais
désirée, insupportable mais absente. Le
héros est ici touché en son point de trans-
parence, de vanité totales : à travers lui
des images de fête lointaine toute quel-

conque, d'une intensité singulière, se détachent de la toile de fond promise à la contemplation future et qui y a droit en effet du point de vue de l'incomparable, en dépit de sa lumière sinistre.

La valeur particulière que j'accorde à cet exemple provient du fait qu'ici l'événement qui est « nié » est de ceux dont le caractère positif s'impose universellement avec le plus grand éclat, de ceux dont le retentissement même dans le temps souligne avec force ce caractère positif. Faut-il donc que la partie jouée ne soit sujette à sombrer, à s'abîmer dans son contraire que pour le joueur ? Il le faut sans doute pour que le joueur parvienne à sauvegarder en lui l'idée du temps, du temps où naît et disparaît tout, idée dont la destruction serait de nature à lui faire perdre le sens de son destin et de sa nécessité propres, à l'immobiliser dans une sorte d'extase. Cette faculté tout intuitive de détermination immédiate du négatif (tendance à l'évasion dans le rêve, dans l'amour) veille à ce qu'une série particulièrement colorée et excitante de faits vécus soit maintenue dans son cadre d'enchaînement *naturel*. (Un événement surnaturel, s'il pouvait se produire, priverait l'esprit de sa principale ressource en le mettant hors d'état de réaliser dialectiquement son contraire. Un tel fait, conformément à la croyance populaire, ne saurait être conçu que comme foudroyant pour tout individu qui en serait témoin. Il n'en subsisterait nécessairement aucune relation.)

Ce refus, ce détachement, cette exclusion en quoi se préfigure déjà pour Bonaparte l'exil à venir rendent admirablement compte, aussi, de l'accomplissement nécessaire, à travers lui, de la suite de médiations qui caractérise la démarche propre de l'esprit. Il convient, me semble-t-il, d'y insister dans ce cas précis, ne serait-ce que pour faire échec à la conception idolâtre selon laquelle un être exceptionnellement dur et armé pourrait vivre sans rien céder à tout ce qui n'est pas sa vocation unique et, comme d'une seule respiration, se porter et se tenir à son point de puissance le plus haut. Tel grand capitaine réalise-t-il pleinement ses victoires, tel grand poète, la question a été posée pour Rimbaud, peut-il passer pour avoir eu l'intelligence complète de ses visions ? C'est invraisemblable. La nature même de l' « un », qu'il soit promu génie, simple ou fou, s'y oppose toute. Il faut que l'un se sépare de lui-même, se repousse, se condamne lui-même, qu'il s'abolisse au profit des autres pour se reconstituer dans leur unité avec lui. Ainsi l'exige dans sa complexité le système de

roues dentées intérieures qui commande
le mouvement, le jeu de soleils séquents
dont l'un, sans éveiller tous les autres, ne
livre pas une parcelle de sa lumière. L'ani-
mation immense s'obtient au prix de cette
répulsion engendrante d'attraction, que
l'acte qui les détermine soit le plus infime
ou le plus opérant. Or, nous touchons ici,
il faut le reconnaître, au point faible de la
plupart des idéologies modernes pour lesquelles c'est devenu obscurité et défi plus
grands que jamais de soutenir que ce qui
s'oppose est d'accord avec soi, selon l'expression d'Héraclite qui précise : « Har-
monie de tensions opposées, comme [celle]
de l'arc et [celle] de la lyre. » Rien n'a
été, durant ces vingt à vingt-cinq derniers
siècles, plus contesté. De nos jours l'opinion, qui est, pour la plus grande partie du
monde, ce que la font les journaux à la
solde de la bourgeoisie, se rebrousse
presque tout entière contre cette idée que
la machine universelle obéit indifféremment aux impulsions les plus variées, qu'il
n'y a pas à tenir les unes pour électives, les
autres pour non électives, et, tout spécia-
lement, pour reprendre la pensée du vieil
Éphésien, que « les hommes dans leur sommeil travaillent et collaborent aux événements de l'univers ». Il n'est pas jusqu'à
l'opinion travaillée, par contre, par la

perspective de la construction socialiste
qui ne réagisse, d'une manière déplorablement parallèle, en fin de compte aussi
conformiste, contre tout ce qui n'est pas
l'application stricte en un seul point, celui
de la production des richesses, de l'effort
humain à fournir. Le problème de la
connaissance se trouve ainsi perdu de vue,
le temps réapparaît sous sa forme la plus
tyrannique, — remettre au lendemain ce
qu'on n'a pas pu faire le jour même, la
recherche de l'efficacité concrète, continue, immédiate. Une servilité sans limites.
Les rues charrient pêle-mêle les occupa-
tions complémentaires, rivales. L'émula-
tion la plus niaise s'empare des uns et des
autres, ici, là-bas, pour la possession, pour
la gloriole. Des hôtels particuliers, des
tableaux d'honneur. Je vois les beautés
naturelles, tenues brusquement en suspi-
cion, déchues, errant en quête d'une affec-
tation nouvelle, opposant du reste une résistance farouche à se laisser attribuer une
fin autre que la leur. Ce temps où je vis,
ce temps malheureusement s'écoule et
m'entraîne. L'impatience folle, comme ac-
cidentelle, dans laquelle il se comprend, ne
m'épargne pas. Il y a aujourd'hui peu de
place, c'est vrai, pour qui voudrait, très
hautainement, dans l'herbe, tracer la sa-
vante arabesque des soleils dont je parlais.

On a beau savoir que les commandes de
l'appareil essentiel sont innombrables, et
qu'il répond toujours, et que la réponse
qu'il donne est la même à l'infini, de sorte
que toute sollicitation particulière est arbitraire, il est bien entendu que chaque
moment, confondu qu'il est en tous les
autres, demeure pourtant en lui-même
différencié. Le moment présent m'est donc
donné avec toutes les caractéristiques qui
le placent sous la menace de tel nuage plus
proche que les autres, en l'espèce de celui
qui, en crevant, doit délivrer le monde
d'un régime économique dans lequel des
contradictions insurmontables, mortelles,
sont apparues et se sont multipliées. Il importe que ce nuage dessine son ombre sur
la page que j'écris, que ce tribut soit payé
à la pluralité dans laquelle, pour oser
écrire, il faut à la fois que je me perde et
que je me retrouve. Au delà, mais seulement au delà, il m'est peut-être permis de
faire valoir le sentiment particulier qui
m'anime, il m'appartient peut-être de demander à peu près seul que les préoccupations les plus spécifiquement actuelles,
le souci des interventions les plus urgentes,
ne détournent pas l'homme de la tâche de
comprendre, de connaître et pour cela le
laissent en mesure d'incorporer le fait historique acquis ou prochainement à acqué-

rir, par exemple la Révolution sociale, au devenir le plus général de l'être humain, — après cette Révolution comme avant, ne l'oublions pas, éternellement se faisant et éternellement inachevé. Il faut à tout prix, je le répète, éviter de laisser absurdement barrer ou rendre impraticables les plus belles routes de la connaissance, sous prétexte qu'il ne saurait provisoirement s'agir d'autre chose que de hâter l'heure de la Révolution. Autant j'admets que, la Révolution accomplie, l'esprit humain, porté à un niveau supérieur, sera appelé à partir pour la première fois de lui-même sur une voie sans obstacle, autant je nie qu'il y parvienne si, dans les sens les plus divers, il ne s'est pas gardé de faire bon marché de tout ce que l'expérience antérieure lui avait fourni. Ce n'est pas un des moindres griefs qu'on puisse faire à cette époque que d'avoir à constater qu'une proposition aussi élémentairement logique ne rencontre pas un consentement plus général, mais le fait est qu'elle ne le rencontre pas. Chaque jour nous apporte même, à cet égard, une négation plus ébahissante et plus stérile de la part de ceux qui se sont donné à charge la transformation rationnelle du monde et l'ont effectivement, en partie, transformé. Il est absolument insuffisant, selon moi, de préconiser l'usage d'une manette à l'exclusion de toutes les autres — la puissance de travail par exemple — et l'on s'expose à détériorer ainsi la machine. C'est pourtant à l'observance stricte de cette règle que s'efforcent de nous réduire des hommes que l'enseignement de Marx et de Lénine pourrait, semble-t-il, douer dans ce domaine d'une plus grande circonspection. L'escamotage passablement malhonnête de ce qu'il peut y avoir de plus précieux, du seul point de vue matérialiste, dans des découvertes comme celles de Freud, le refus pratique de discussion de toute espèce de thèse un peu insolite, le piétinement sensible qui en résulte concurremment avec la tendance à donner pour infaillible la pensée de quelques hommes en ce qu'elle peut présenter, comme toute pensée, à la fois de certain et d'aventureux, justifient à mes yeux l'adoption d'une position extérieure aux positions communes, difficile à tenir certes, mais de laquelle il est du moins possible de ne pas aliéner tout esprit critique au bénéfice de quelque foi aveugle que ce soit. Qui sait s'il ne convient point qu'aux époques les plus tourmentées se creuse ainsi malgré eux la solitude de quelques êtres, dont le rôle est d'éviter que périsse ce qui ne doit subsister passagèrement que dans un coin de serre, pour trou-

ver beaucoup plus tard sa place au centre
du nouvel ordre, marquant ainsi d'une
fleur absolument et simplement présente,
parce que *vraie*, d'une fleur en quelque
sorte *axiale par rapport au temps*, que demain
doit se conjuguer d'autant plus étroitement avec hier qu'il doit rompre d'une
manière plus décisive avec lui ?

*

Dans le vacarme des murailles qui s'effondrent, parmi les chants d'allégresse qui
montent des villes déjà reconstruites, au
sommet du torrent qui clame le retour
perpétuel des formes prises sans cesse par
le changement, sur l'aile battante des affec-
tions, des passions alternativement soule-
vant et laissant retomber les êtres et les
choses, au-dessus des feux de paille dans
lesquels se crispent les civilisations, par
delà la confusion des langues et des mœurs,
je vois l'homme, ce qui de lui demeure à
jamais immobile au centre du tourbillon.
Soustrait aux contingences de temps et de
lieu, il apparaît vraiment comme le pivot
de ce tourbillon même, comme le média-
teur par excellence. Et comment me le
concilierais-je si je ne le restituais essentiellement à cette faculté fondamentale qui
est de dormir, c'est-à-dire de se retremper,

chaque fois qu'il est nécessaire, au sein
même de cette nuit surabondamment peu-
plée dans laquelle tous, êtres comme objets, sont lui-même, participent obliga-
toirement de son être éternel, tombant
avec la pierre, volant avec l'oiseau ? Je
vois au centre de la place publique cet
homme immobile en qui, loin de s'anni-
hiler, se combinent et merveilleusement se
limitent les volontés adverses de toutes
choses pour la seule gloire de la vie, de cet
homme qui n'est, je le répète, aucun et qui
est tous. Tout théoriquement arraché que
je le veux à la mêlée sociale, distrait de la
morsure d'une ambition irréfrénable et
toujours indigne, je m'assure que le monde
entier se recompose, dans son principe essentiel, à partir et autour de lui. Qu'il se
livre donc et que pour commencer il dé-
fasse, il le faut, l'autre homme, celui à qui
toute intériorisation est interdite, le passant pressé dans le brouillard ! Ce brouillard est. Contrairement à l'idée courante
il est fait de l'épaisseur des choses immédiatement sensibles quand j'ouvre les yeux.
Ces choses que j'aime, comment ne les
haïrais-je pas aussi de me cacher dérisoi-
rement toutes les autres ? Il m'a paru et il
me paraît encore, c'est même tout ce dont
ce livre fait foi, qu'en examinant de près le
contenu de l'activité la plus irréfléchie de

l'esprit, si l'on passe outre à l'extraordinaire et peu rassurant bouillonnement qui se produit à la surface, il est possible de mettre à jour un *tissu capillaire* dans l'ignorance duquel on s'ingénierait en vain à vouloir se figurer la circulation mentale. Le rôle de ce tissu est, on l'a vu, d'assurer l'échange constant qui doit se produire dans la pensée entre le monde extérieur et le monde intérieur, échange qui nécessite l'interpénétration continue de l'activité de veille et de l'activité de sommeil. Toute mon ambition a été de donner ici un aperçu de sa structure. Quels que soient la prétention commune à la conscience intégrale et les menus délires de rigueur, on ne peut nier que ce tissu couvre une assez vaste région. C'est là que se consomme pour l'homme l'échange permanent de ses besoins satisfaits et insatisfaits, là que s'exalte la soif spirituelle que, de la naissance à la mort, il est indispensable qu'il calme et qu'il ne guérisse pas. Je ne me lasserai pas d'opposer à l'impérieuse nécessité actuelle, qui est de changer les bases sociales par trop chancelantes et vermoulues du vieux monde, cette autre nécessité non moins impérieuse qui est de ne pas voir dans la Révolution à venir une fin, qui de toute évidence serait en même temps celle de l'histoire. La *fin* ne saurait être pour moi

que la connaissance de la destination éternelle de l'homme, de l'homme en général,
que la Révolution seule pourra rendre
pleinement à cette destination. Toute autre
manière d'en juger, de quelque prétendu
souci des réalités politiques qu'elle se
targue, me semble fausse, paralysante et,
du strict point de vue révolutionnaire, dé-
faitiste. Il est trop simple, selon moi, de
vouloir réduire le besoin d'adéquation de
l'homme à la vie à un réflexe pénible qui
aurait chance de céder à la suppression des
classes. Ce besoin est pour cela beaucoup
trop insituable dans le temps et c'est même,
je ne crains pas de le dire, parce que je
veux le voir s'imposer sans entrave à
l'homme que je suis révolutionnaire. J'estime, en effet, qu'il ne s'imposera sans
entrave à l'homme que lorsqu'il pourra
s'imposer à *tout* homme, que lorsque la
précarité toute artificielle de la condition
sociale de celui-ci ne lui voilera plus la
précarité réelle de sa condition humaine.
Je prétends qu'il n'y a en cela, de ma part,
nul pessimisme mais que, bien au contraire,
il est d'une vue déplorablement courte et
timide d'admettre que le monde peut être
changé une fois pour toutes et de s'inter-
dire au delà, comme si elle devait être
profanatoire, toute incursion sur les terres
immenses qui resteront à explorer.

Le mal sacré, la maladie incurable réside et résidera encore dans le sentiment. Le nier ne sert rigoureusement de rien; mieux vaut à tous égards en passer par ses accès brisants et tenter, de l'intérieur de la cloche à plongeur aux parois vibrantes qui sert à pénétrer dans sa sphère, d'organiser un tant soit peu le brillant désaccord auquel il se plaît. Ce n'est pas en vain que l'individu, par son intermédiaire, entrant en rapport avec le contenu de lui-même, éprouve d'une manière plus ou moins panique, qui le réchauffe ou le glace, que ce contenu se distingue de la connaissance objective extérieure. Tout doit continuer d'être entrepris pour essayer d'y voir plus clair et pour dégager, de la certitude irrationnelle qui l'accompagne, ce qui peut être tenu pour vrai et pour faux. Non seulement pour cela convient-il de ne laisser à l'abandon aucun des modes éprouvés de connaissance intuitive, mais encore de travailler à en découvrir de nouveaux. Encore une fois, rien ne serait, à cet égard, plus nécessaire que de faire porter un examen approfondi sur le processus de formation des images dans le rêve, en s'aidant de ce qu'on peut savoir, par ailleurs, de l'élaboration poétique. D'où vient que de telles images ont été retenues de préférence à telles autres, entre toutes les autres? Le fait que certaines d'entre elles semblent avec évidence avoir tiré leur origine de la répétition fortuite, durant la veille, de certaines représentations très précises donne à penser qu'il n'est rien là de si difficile, de si déroutant. Avec quelque ingéniosité il n'est pas impossible qu'on parvienne à provoquer certains rêves chez un autre être, pour peu qu'à son insu l'on s'applique à le faire tomber dans un système assez remarquable de coïncidences. Il ne serait nullement utopique de prétendre, par là, agir à distance, gravement, sur sa vie. Le fait réel, qui est une résultante, gagnerait en solidité à ce que l'une de ses principales composantes fût ainsi, dans la plus large mesure, déterminée *a priori* et *donnée*. Je souhaiterais que cette proposition eût assez l'agrément de quelques esprits pour les faire passer à son application pratique. Rien ne me paraît de nature à mieux illuminer la sphère du sentiment, à laquelle le rêve appartient en propre, ce qui le désigne électivement comme terrain d'expérience dès qu'il s'agit, comme il continuera toujours à s'agir, de sonder la nature individuelle entière dans le sens *total* qu'elle peut avoir de son passé, de son présent et de son avenir.

Pl. 7. — Au « Palais idéal » du facteur cheval (1931).

Pl. 8. — SIGMUND FREUD À ANDRÉ BRETON (Page 200)

Puisque l'activité pratique de veille entraîne chez l'homme un affaiblissement constant de la substance vitale qui ne trouve à se compenser partiellement que dans le sommeil, l'activité de réparation qui est la fonction de celui-ci ne méritet-elle pas mieux que cette disgrâce faisant de presque tout homme un dormeur *honteux* ? Quelle paresse, quel goût tout animal de l'existence pour l'existence se manifestent en fin de compte dans l'attitude qui consiste à ne pas vouloir prendre conscience de ce fait que toute chose qui objectivement *est*, est comprise dans un cercle allant toujours s'élargissant de possibilités ! Comment se croire à même de voir, d'entendre, de toucher si l'on refuse de tenir compte de ces possibilités innombrables, qui, pour la plupart des hommes, cessent de s'offrir dès le premier roulement de voiture du laitier ! L'essence générale de la subjectivité, cet immense terrain et le plus riche de tous est laissé en friche. Il faut aller voir de bon matin, du haut de la colline du Sacré-Cœur, à Paris, la ville se dégager lentement de ses voiles splendides, avant d'étendre les bras. Toute une foule enfin dispersée, glacée, déprise et sans fièvre entame comme un navire la grande nuit qui sait ne faire qu'un de l'ordure et de la merveille. Les trophées orgueilleux, que le soleil s'apprête à couronner d'oiseaux ou d'ondes, se relèvent mal de la poussière des capitales enfouies. Vers la périphérie les usines, premières à tressaillir, s'illuminent de la conscience de jour en jour grandissante des travailleurs. Tous dorment, à l'exception des derniers scorpions à face humaine qui commencent à cuire, à bouillir dans leur or. La beauté féminine se fond une fois de plus dans le creuset de toutes les pierres rares. Elle n'est jamais plus émouvante, plus enthousiasmante, plus folle, qu'à cet instant où il est possible de la concevoir unanimement détachée du désir de plaire à l'un ou à l'autre, aux uns ou aux autres. Beauté sans destination immédiate, sans destination connue d'elle-même, fleur inouïe faite de tous ces membres épars dans un lit qui peut prétendre aux dimensions de la terre ! La beauté atteint à cette heure à son terme le plus élevé, elle se confond avec l'innocence, elle est le miroir parfait dans lequel tout ce qui a été, tout ce qui est appelé à être, se baigne adorablement en ce qui va être *cette fois*. La puissance absolue de la subjectivité universelle, qui est la royauté de la nuit, étouffe les impatientes déterminations au petit bonheur : le chardon non soufflé demeure sur sa construction fumeuse, parfaite. Va-t-il faire beau, pleu-

vra-t-il ? Un adoucissement extrême de ses
angles fait tout le soin de la pièce occupée,
belle comme si elle était vide. Les cheve-
lures infiniment lentes sur les oreillers ne
laissent rien à glaner des fils par lesquels la
vie vécue tient à la vie à vivre. Le détail
impétueux, vite dévorant, tourne dans sa
cage à belette, brûlant de brouiller de sa
course toute la forêt. Entre la sagesse et la
folie, qui d'ordinaire réussissent si bien à
se limiter l'une l'autre, c'est la trêve. Les
intérêts puissants affligent à peine de leur
ombre démesurément grêle le haut mur
dégradé dans les anfractuosités duquel
s'inscrivent pour chacun les figures, toujours autres, de son plaisir et de sa souffrance. Comme dans un conte de fées cependant, il semble toujours qu'une femme
idéale, levée avant l'heure et dans les
boucles de qui sera descendue visiblement
la dernière étoile, d'une maison obscure va
sortir et somnambuliquement faire chan-
ter les fontaines du jour. Paris, tes réserves
monstrueuses de beauté, de jeunesse et de
vigueur, — comme je voudrais savoir
extraire de ta nuit de quelques heures ce
qu'elle contient de plus que la nuit po-
laire ! Comme je voudrais qu'une médita-
tion profonde sur les puissances inconscientes, éternelles que tu recèles soit au
pouvoir de tout homme, pour qu'il se

garde de reculer et de subir! La résigna-
tion n'est pas écrite sur la pierre mouvante
du sommeil. L'immense toile sombre qui
chaque jour est filée porte en son centre les
yeux médusants d'une victoire claire. Il
est incompréhensible que l'homme re-
tourne sans cesse à cette école sans y rien
apprendre. Un jour viendra où il ne pourra
cependant plus s'en remettre, pour juger
de sa propre déterminabilité, au bon plaisir de l'organisme social qui assure aujour-
d'hui, par le malheur de presque tous, la
jouissance de quelques-uns. Je pense qu'il
n'est pas trop déraisonnable de lui prédire
pour un jour prochain le gain de cette
plus grande liberté. Encore ce jour-là,
qu'on y songe, faudra-t-il qu'il en ait
l'usage, et cet usage est précisément ce que
je voudrais lui donner. Il nourrit dans son
cœur une énigme et de temps à autre
partage malgré lui l'inquiétante arrière-
pensée de Lautréamont : « Ma subjectivité
et le Créateur, c'est trop pour un cerveau. »
Créateur à part, hors compte, la subjectivité demeure en effet le point noir. Son
histoire, qui ne s'écrit pas, n'en persiste pas
moins, en marge de l'autre, à proposer son
révoltant imbroglio. Cette subjectivité,
pour sa part la misère littéraire tour à tour
la couvre et la découvre à plaisir, évitant
autant que possible de la suivre dans ses

retranchements et de la cerner. N'a-t-on
pas vu ces derniers temps la *mode*, en lecture, se mettre à quelque chose d'aussi
ridicule et d'aussi abject que les « vies ro-
mancées » ? On n'imagine que trop ce
qui peut passer, dans des entreprises de
cette envergure, de ce sur quoi l'accent
humain devrait véritablement être porté,
j'ai déjà nommé le sentiment et je précise
qu'il s'agirait avant tout de comprendre
comment tel individu est affecté par le
cours des âges de la vie, d'une part, et
par l'idée qu'il se fait, d'autre part, du
rapport sexuel. Ce sont là, bien entendu,
toutes recherches que la légèreté commune et l'hypocrisie sociale rendent pratiquement impossibles de façon suivie.
Ainsi se perd la dernière chance que nous
ayons de disposer, en matière de subjectivité, de documents vivants de quelque
prix. Force m'est, dans ces conditions, de
ne guère compter que sur les poètes — ils
sont encore quelques-uns — pour combler
peu à peu cette lacune *. C'est des poètes,
malgré tout, dans la suite des siècles, qu'il
est possible de recevoir et permis d'at-

---

* Les poètes, mais, dit Freud, « ils sont, dans la connaissance de l'âme, nos maîtres à nous, hommes vulgaires, car ils s'abreuvent à des sources que nous n'avons
pas encore rendues accessibles à la science. Que le poète
ne s'est-il prononcé plus nettement encore en faveur de
la nature, pleine de sens, des rêves ! »

tendre les impulsions susceptibles de replacer l'homme au cœur de l'univers, de
l'abstraire une seconde de son aventure
dissolvante, de lui rappeler qu'il est pour
toute douleur et toute joie extérieures à lui
un lieu indéfiniment perfectible de résolution et d'écho.

Le poète à venir surmontera l'idée dé-
primante du divorce irréparable de l'action et du rêve. Il tendra le fruit magnifique de l'arbre aux racines enchevêtrées
et saura persuader ceux qui le goûtent
qu'il n'a rien d'amer. Porté par la vague
de son temps, il assumera pour la première
fois sans détresse la réception et la trans-
mission des appels qui se pressent vers lui
du fond des âges. Il maintiendra coûte que
coûte en présence les deux termes du rapport humain par la destruction duquel les
conquêtes les plus précieuses deviendraient
instantanément lettre morte : la conscience objective des réalités et leur développement interne en ce que, par la vertu
du sentiment individuel d'une part, uni-
versel d'autre part, il a jusqu'à nouvel
ordre de magique. Ce rapport peut passer
pour magique en ce sens qu'il consiste
dans l'action inconsciente, immédiate, de
l'interne sur l'externe et que se glisse aisé-
ment dans l'analyse sommaire d'une telle

notion l'idée d'une médiation transcendante qui serait, du reste, plutôt celle d'un démon que d'un dieu. Le poète se dressera contre cette interprétation simpliste du phénomène en cause : au procès immémorialement intenté par la connaissance rationnelle à la connaissance intuitive, il lui appartiendra de produire la pièce capitale qui mettra fin au débat. L'opération poétique, dès lors, sera conduite au grand jour. On aura renoncé à chercher querelle à certains hommes, qui tendront à devenir tous les hommes, des manipulations longtemps suspectes pour les autres, longtemps équivoques pour eux-mêmes, auxquelles ils se livrent pour retenir l'éternité dans l'instant, pour fondre le général dans le particulier. Eux-mêmes ils ne crieront plus au miracle chaque fois que par le mélange, plus ou moins involontairement dosé, de ces deux substances incolores que sont l'existence soumise à la connexion objective des êtres et l'existence échappant concrètement à cette connexion, ils auront réussi à obtenir un précipité d'une belle couleur durable. Ils seront déjà dehors, mêlés aux autres en plein soleil et n'auront pas un regard plus complice et plus intime qu'eux pour la vérité lorsqu'elle viendra secouer sa chevelure ruisselante de lumière à leur fenêtre noire.

APPENDICE

TROIS LETTRES DE SIGMUND FREUD A ANDRÉ BRETON

Vienne, 13 décembre 1932.

Cher Monsieur,

Soyez assuré que je lirai avec soin votre petit livre Les Vases communicants, *dans lequel l'explication des rêves joue un si grand rôle. Jusqu'ici je ne suis pas encore allé bien loin dans cette lecture mais si je vous écris déjà c'est qu'à la page 19 * je suis tombé sur une de vos « impertinences ** » que je ne puis m'expliquer facilement.*

Vous me reprochez de ne pas avoir mentionné, dans la bibliographie, Volkelt, qui découvrit la symbolique du rêve, bien que je me sois approprié ses idées. Voilà qui est grave, qui va tout à fait à l'encontre de ma manière habituelle!

---

* Ici page 21.
** Allusion à la dédicace accompagnant l'exemplaire des *Vases communicants* que je lui avais adressé.

En réalité ce n'est pas Volkelt qui a découvert la symbolique du rêve, mais Scherner, dont le livre est paru en 1861 alors que celui de Volkelt date de 1878. Les deux auteurs se trouvent plusieurs fois mentionnés aux passages correspondants de mon texte et ils figurent ensemble à l'endroit où Volkelt est désigné comme partisan de Scherner. Les deux noms sont aussi contenus dans la bibliographie. Je puis donc vous demander une explication.

Pour votre justification je trouve en ce moment que le nom de Volkelt ne se trouve effectivement pas dans la bibliographie de la traduction française (Meyerson, 1926).

Votre très dévoué

FREUD.

*

14 décembre 1932.

Cher Monsieur,

Excusez-moi si je reviens encore une fois sur l'affaire Volkelt. Pour vous elle ne peut signifier grand'chose mais je suis très sensible à un tel reproche et quand il vient d'André Breton il m'est d'autant plus pénible.

Je vous ai écrit hier que le nom de Volkelt est mentionné dans la bibliographie de l'édition allemande de La Science des Rêves *mais qu'il est omis dans la traduction française, ce qui me justifie et dans une certaine mesure vous justifie également, bien que vous eussiez pu être plus prudent dans l'explication de cet état de choses. (Vous écrivez : « auteur sur qui la bibliographie... reste assez* significativement *muette ».) Il n'y aurait probablement dans ce cas qu'une négligence sans importance du traducteur Meyerson.*

Mais lui-même n'est pas coupable. J'ai encore regardé plus précisément et trouvé ce qui suit : ma Science des Rêves *a eu de 1900 à 1930 huit éditions. La traduction française est faite d'après la* septième *allemande. Et voilà : le nom de Volkelt figure dans la bibliographie des première, deuxième et troisième éditions allemandes mais il manque effectivement dans toutes les éditions ultérieures, de sorte que le traducteur français n'a pu le trouver.*

La quatrième édition allemande (1914) est la première qui porte sur la page de titre la mention : « Avec la contribution d'Otto Rank. » Rank s'est chargé, depuis lors, de la bibliographie dont je ne me suis plus du tout occupé. Il a dû probablement lui arriver que l'omission du nom de Volkelt (juste entre les pages 487 et 488) lui a échappé. En cela il est impossible de lui attribuer une intention particulière.

L'utilisation d'un tel accident doit être exclue, tout particulièrement du fait que Volkelt n'est pas du tout celui dont l'autorité entre en considération en matière de symbolique du rêve, mais bien sans aucun doute un autre qui s'appelle Scherner, comme je l'ai mentionné plusieurs fois dans mon livre.

Avec ma considération distinguée.

FREUD.

*

26 décembre 1932.

Cher Monsieur,

Je vous remercie vivement pour votre lettre si détaillée et aimable. Vous auriez pu me répondre plus brièvement : « Tant de bruit... * » Mais vous avez eu amicalement égard à ma susceptibilité particulière sur ce point, qui est sans doute une forme de réaction contre l'ambition démesurée de l'enfance, heureusement surmontée. Je ne saurais prendre en mauvaise part aucune de vos autres remarques critiques, bien que j'y puisse trouver plusieurs motifs de polémique. Ainsi, par exemple : je crois que si je n'ai pas poursuivi l'analyse de mes propres rêves aussi loin que celle des autres, la cause n'en est que rarement la timidité à l'égard du sexuel. Le fait est, bien plus souvent, qu'il m'eût fallu régulièrement découvrir le fond secret de toute la série de rêves, consistant dans mes rapports avec mon père qui venait de mourir. Je prétends que j'étais en droit

---

* En français dans le texte.

de mettre une limite à l'inévitable exhibition
(ainsi qu'à une tendance infantile surmontée!)

Et maintenant un aveu, que vous devez accueillir avec tolérance! Bien que je reçoive tant de
témoignages de l'intérêt que vous et vos amis
portez à mes recherches, moi-même je ne suis pas
en état de me rendre clair ce qu'est et ce que veut
le surréalisme. Peut-être ne suis-je en rien fait
pour le comprendre, moi qui suis si éloigné de
l'art.

Votre cordialement dévoué

FREUD.

*

RÉPLIQUE

Si, dans la première partie des Vases communicants, je me suis cru autorisé à attribuer
à Volkelt plutôt qu'à Scherner le principal mérite
de la découverte de la symbolique sexuelle du
rêve, c'est qu'il m'a semblé qu'au témoignage
même de Freud * Volkelt avait été historiquement
le premier à faire passer sur le plan scientifique
l'activité imaginative symbolique qui est ici en
cause. La caractéristique sexuelle de cette activité
avait bien, en effet, été pressentie il y a très long-

---

* La Science des Rêves.

temps par les poètes, Shakespeare entre autres,
mais la considération de ces « à côtés occasionnels
de la connaissance intuitive », comme dit Rank,
ne doit pas nous dérober ce qu'il a pu y avoir de
génial dans l'idée de systématisation — émise
avant Freud — qui devait donner naissance à
la psychanalyse. « Embrouillamini mystique »,
« pompeux galimatias », tels sont les termes que
trouvent tour à tour Volkelt et Freud pour appré-
cier l'œuvre de Scherner. Je n'ai pas pensé, dans
ces conditions, me singulariser en faisant porter
la responsabilité de l'orientation, de l'impulsion
véritablement scientifiques du problème sur Vol-
kelt qui « s'est efforcé, d'après Freud, *de mieux*
connaître » dans sa nature l'imagination du rêve,
« de la situer ensuite exactement dans un système
philosophique ».

Il va sans dire que je n'ai jamais prêté à
Freud le calcul qui consisterait à passer délibéré-
ment sous silence les travaux d'un homme dont il
peut être intellectuellement le débiteur. Une accu-
sation d'un tel ordre correspondrait mal à la très
haute idée que je me fais de lui. Constatant
l'omission de l'ouvrage de Volkelt à la biblio-
graphie établie tant à la fin de l'édition française
que d'une édition allemande très antérieure, tout
au plus me suis-je souvenu du principe qui veut
que « dans tous les cas l'oubli (soit) motivé
par un sentiment désagréable * ». A mon sens il

---

* *La Psychopathologie de la Vie quotidienne.*

ne pouvait s'agir là que d'un acte symptomatique et je dois dire que l'agitation manifestée à ce sujet par Freud (il m'écrit deux lettres à quelques heures d'intervalle, se disculpe vivement, rejette son tort apparent sur quelqu'un qui n'est plus de ses amis... pour finir par plaider en faveur de celui-ci l'oubli immotivé!) n'est pas pour me faire revenir sur mon impression. Le dernier paragraphe de la troisième lettre, dans lequel se manifeste, à douze jours de distance, le désir (très amusant) de rendre coup pour coup *, me confirme encore dans l'idée que j'ai touché un point assez sensible. « L'ambition démesurée de l'enfance » est-elle chez Freud, en 1933, si « heureusement surmontée » ?

Le lecteur jugera si, d'autre part, il convient de passer outre aux réticences paradoxales de l'auto-analyse dans La Science des Rêves, et au contraste frappant qu'offre, au point de vue du contenu sexuel, l'interprétation des rêves de l'auteur et celle des autres rêves qu'il se fait conter. Il continue à me sembler qu'en pareil domaine la crainte de l'exhibitionnisme n'est pas une excuse suffisante et que la recherche pour elle-même de la vérité objective commande certains sacrifices. Le prétexte invoqué — le père de Freud était mort en 1896 — apparaîtra d'ailleurs, ici, d'autant plus précaire que les sept

---

* « Derrière tout cela se tient le petit Sigismond qui se défend : « Je l'ai jeté par terre parce qu'il m'a jeté « par terre. » (Fr. Vittels : Freud.)

éditions de son livre qui se sont succédé depuis 1900 ont fourni à Freud toutes les occasions désirables de sortir de sa réserve d'alors ou, tout au moins, de l'expliquer sommairement.

Qu'il soit bien entendu que, même si je les lui oppose, ces diverses contradictions dont Freud est encore aujourd'hui le siège n'infirment en rien le respect et l'admiration que je lui porte mais bien plutôt témoignent, à mes yeux, de sa merveilleuse sensibilité toujours en éveil et m'apportent le gage très précieux de sa vie.

1933.

A. B.

ACHEVÉ D'IMPRIMER
PAR L'IMPRIMERIE FLOCH
MAYENNE

(3124)

8 AVRIL 1955

N° d'éd. : 4.731. Dép. lég. : 2e trim. 1955

Imprimé en France